D0048317

10|18

12, avenue d'Italie — Paris XIIIe

Du même auteur
aux Éditions 10/18

LE CHAT QUI LISAIT À L'ENVERS, n° 2278
LE CHAT QUI MANGEAIT DE LA LAINE, n° 2279
LE CHAT QUI AIMAIT LA BROCANTE, n° 2280
LE CHAT QUI VOYAIT ROUGE, n° 2188
LE CHAT QUI JOUAIT BRAHMS, n° 2189
LE CHAT QUI JOUAIT AU POSTIER, n° 2245
LE CHAT QUI CONNAISSAIT SHAKESPEARE, n° 2246
LE CHAT QUI SNIFFAIT DE LA COLLE, n° 2303
LE CHAT QUI INSPECTAIT LE SOUS-SOL, n° 2321
LE CHAT QUI PARLAIT AUX FANTÔMES, n° 2350
LE CHAT QUI VIVAIT HAUT, n° 2387
LE CHAT QUI CONNAISSAIT UN CARDINAL, n° 2401
LE CHAT QUI DÉPLAÇAIT DES MONTAGNES, n° 2447
LE CHAT QUI N'ÉTAIT PAS LÀ, n° 2539
LE CHAT QUI ALLAIT AU PLACARD, n° 2585
LE CHAT QUI JOUAIT AUX DOMINOS, n° 2631
LE CHAT QUI DONNAIT UN COUP DE SIFFLET, n° 2677
LE CHAT QUI DISAIT CHEESE, n° 2725
LE CHAT QUI FLAIRAIT UNE PISTE, n° 2870
LE CHAT QUI RACONTAIT DES HISTOIRES, n° 2917
LE CHAT QUI PARLAIT AUX OISEAUX, n° 3020

LE CHAT QUI REGARDAIT LES ÉTOILES

PAR

LILIAN JACKSON BRAUN

Traduit de l'américain
par Marie-Louise NAVARRO

INÉDIT

« Grands Détectives »
dirigé par Jean-Claude Zylberstein

Sur l'auteur

Lilian Jackson Braun, née en 1916, partage aujourd'hui sa vie entre les rives du lac Huron, dans le Michigan, et les collines de la Caroline du Nord. Venue très tôt à l'écriture, elle publie durant ses études à Detroit des « *Spoems* » — poèmes sportifs consacrés au base-ball — dans un quotidien local puis dans plusieurs magazines nationaux. Elle envisage d'abord de se diriger vers l'enseignement pour finalement faire carrière dans la publicité et la communication. Elle entre ainsi en contact avec le milieu de la presse, dans lequel elle va officier pendant vingt-neuf ans, en assurant la rubrique « Décoration intérieure » pour le *Detroit Free Press*. Dans le même temps, elle vend ses premières nouvelles félines à divers magazines, dont le prestigieux *Ellery Queen's Mysteries Magazine*. En 1966, Lilian Jackson Braun écrit la première intrigue de la série policière qui met en scène Jim Qwilleran et ses chats détectives. Malgré l'engouement du public, elle interrompt la série jusqu'en 1986 où, à l'âge de soixante-dix ans, elle publie *Le Chat qui voyait rouge*, qui rencontre alors un succès retentissant. Les livres suivants ne démentiront pas ce succès.

Titre original :
The Cat Who Saw Stars

ISBN 2-264-02891-2

A Earl Bettinger, le mari qui...

CHAPITRE PREMIER

Des nouvelles sensationnelles sur le plan mondial étaient rarement annoncées par la radio WPKX qui couvrait le comté de Moose, à six cents kilomètres au nord de partout. Les résultats des matches de base-ball, un nouvel accident de voiture, un incendie dans un poulailler et des avis de décès étaient le lot habituel. Fin juin, les auditeurs prêtèrent l'oreille quand, un dimanche, au journal du soir on annonça :

« Un randonneur non identifié, sans adresse connue, peut éventuellement être une personne disparue, selon les autorités du comté de Moose. Un homme de race blanche, âgé d'une vingtaine d'années, a installé son matériel de camping dans une propriété privée de Fishport, il y a trois jours, et n'a pas reparu. Il est décrit comme étant de taille moyenne, blond aux yeux bleus. Quand il a été vu pour la dernière fois, il portait un jean élimé, un T-shirt blanc et avait un appareil photo en bandoulière. Quiconque aurait vu un jeune homme répondant à ce signalement est prié de le déclarer au shérif de la région. »

Comme ce signalement pouvait correspondre à bon nombre de vacanciers du comté de Moose, ceux qui l'entendirent n'en tinrent aucun compte jusqu'au jour suivant, quand la nouvelle fut reprise dans le journal local. Cette fois il s'agissait d'une histoire détaillée, écrite dans le style familier cher à Jill Handley, responsable de l'article vedette au *Quelque Chose du Comté de Moose*, qui donnait tout son sens à l'incident.

Où est David ?

LA DISPARITION D'UN RANDONNEUR
DÉCONCERTE F'PORT
par Jill Handley

Magnus Hawley de Fishport, vétéran de la pêche industrielle, a arrêté la voiture de patrouille du shérif, dimanche, et lui a fait un curieux récit. Hawley et son épouse Doris vivent dans une caravane entourée de parterres de fleurs sur la route bordant le lac, près de Roaring Creek.

— L'aut' nuit, déclara Hawley, moi et ma bourgeoise v'nions juste d'souper et r'gardions la télé, quand on a frappé à not' porte. J'ai ouvert et j'ai vu un jeune gars avec un gros barda qui voulait planter sa tente dans la crique pour deux nuits. Il a dit qu'il allait s'balader sur la plage. L'était un peu sale et en sueur, mais l'avait les cheveux ben coupés et y parlait décemment.

L'étranger avait plu à Doris Hawley :

— Il m'a rappelé notre petit-fils. Tout sourire, très poli. Je lui ai demandé s'il cherchait des agates sur la plage, parce que je voulais lui indiquer un bon coin, mais il a dit qu'il songeait surtout à faire des prises de vue. Son appareil avait l'air coûteux, et j'ai pensé que p'têt' c'était un photographe professionnel. On lui a dit qu'il pouvait camper près de la table à pique-nique, en bas de la colline, du moment qu'il jetait pas des ordures dans la crique et ne jouait pas de la musique trop fort.

L'étranger déclara que son nom était David.

— Je n'ai jamais connu de David qui soit pas digne de confiance, ajouta Doris.

Elle lui offrit quelques biscuits croquants au gingembre faits à la maison et remplit une cruche d'eau fraîche du puits. Son mari dit à David qu'il pouvait se baigner dans la crique, mais le mit en garde contre les rochers glissants et le courant fort. Peu après, le couple vit le jeune homme se diriger vers le bord du lac avec son appareil photo.

— Ce qui est drôle, continua Hawley, c'est qu'après ça on n'a p'us r'vu du tout ce garçon. J'suis descendu dans la crique deux jours plus tard pour voir s'il était parti. La cruche d'eau était posée sur la table à pique-nique, toujours pleine, et son paquetage était d'sous, tout fermé et bouclé. Ce qui avait disparu, c'étaient les cookies. On en a parlé, Doris et moi. J'ai dit qu'il avait dû partir avec quelqu'un rencontré sur la plage. On peut jamais savoir ce que vont faire les gosses au jour d'aujourd'hui. Mais ma bourgeoise était inquiète : et s'il avait glissé sur les rochers et s'était noyé ? Alors j'ai appelé la voiture de la patrouille.

L'adjoint du shérif et un membre de la police montée de l'État ont inspecté le site, mais n'ont trouvé aucun indice. Une description du campeur, fournie par les Hawley, a été diffusée à la radio dimanche, sans résultat.

A la suite de la parution de cet article, les rumeurs locales commencèrent à laisser couler pures conjectures et détails sensationnels. Un enlèvement n'était pas à écarter, disaient certains en hochant la tête d'un air entendu. Quelques esprits malveillants soupçonnaient les Hawley d'actes criminels. « Ne mangez pas de biscuits au gingembre » était le sarcasme en vogue dans les bars et les cafés.

Quelqu'un qui écoutait les ragots sans y contribuer était Jim Qwilleran, un ex-journaliste, à présent auteur d'une chronique bihebdomadaire pour le *Quelque Chose*. Récemment encore, il avait interviewé Hawley et d'autres pêcheurs professionnels, il avait même passé du temps sur le lac avec un équipage travaillant dur et une demi-tonne de poissons gluants, ct il désapprouvait ces murmures malveillants. Cependant, il fallait s'attendre à cette réaction, dans une communauté polarisée entre les marins et les terriens. Face à la disparition du randonneur, lui-même ressentit une curiosité d'initié. Naguère chroniqueur judiciaire dans les grandes villes des États-Unis, il avait gardé un intérêt sherlockien pour la résolution des mystères.

Qwilleran était un citoyen populaire de la ville de Pickax, siège du comté (population 3 000 âmes). On prétendait que sa rubrique, « En direct de la plume de Qwill », retenait quatre-vingt-dix pour cent des lecteurs — plus que l'horoscope quotidien. Où qu'il allât dans le comté, il attirait l'attention, étant un bel homme d'une cinquantaine d'années, grand — un mètre quatre-vingt-cinq — et bien bâti, avec une moustache aux proportions imposantes. Elle avait une courbe qui accentuait un air de mélancolie et des yeux rêveurs. Cependant,, ses amis savaient qu'il était aimable, spirituel, obligeant et qu'il prenait plaisir à les inviter au restaurant.

Il y avait encore autre chose en faveur de Qwilleran. C'était un philanthrope d'une incroyable générosité. Plus tôt dans la vie, il avait été un journaliste assidu au Pays d'En-Bas, comme les gens du cru appelaient les centres à haute densité de population du sud du pays. Il vivait, alors, d'un chèque de salaire au suivant sans songer à se constituer un magot. Puis, un de ces hasards plus étranges que la fiction avait fait de lui l'individu le plus riche du nord-est des États-Unis. Il avait hérité des biens Klingenschoen. La fortune avait été amassée à l'époque où la région était riche en ressources naturelles et où personne ne payait d'impôts. Quant au premier Klingenschoen, il avait dirigé une affaire hautement profitable.

Pour Qwilleran, la seule notion de tout cet argent avait été un fardeau et un véritable embarras... jusqu'à ce qu'il ait pensé à constituer la Fondation

Klingenschoen. Maintenant, des experts financiers du « Fonds K », à Chicago, s'occupaient de gérer la fortune, en distribuant une partie pour le développement de la communauté, le laissant libre d'écrire, de lire, de bien dîner et d'agir un peu comme détective amateur. Les habitants de la ville de tout âge et de tout statut parlaient de lui dans les clubs, au téléphone, au supermarché en disant :

« Quel chic type ! Pas prétentieux pour deux sous. Il dit toujours "salut" quand on le rencontre. On ne dirait jamais un millionnaire !

— Il sait vraiment écrire. Sa chronique est la seule chose que je lise dans le journal.

— Et quelle moustache ! Ma femme prétend qu'elle est sexy, spécialement quand il porte des lunettes noires.

— On se demande pourquoi il reste célibataire. On dit qu'il vit dans une grange... avec deux chats !

— On aurait pu penser qu'il vivrait dans une maison convenable... avec un chien... même s'il ne veut pas d'épouse ! »

Son énorme moustache était un élément marquant dans le comté de Moose, admirée des hommes et adorée des femmes. Comme ses cheveux, elle devenait grise, ce qui la rendait plus amicale que redoutable. Ce que tout le monde ignorait était sa sensibilité particulière. En fait, elle était la source de ses pressentiments. Chaque fois qu'il se trouvait confronté à des circonstances suspectes, il éprouvait une sensation bizarre sur sa lèvre supérieure, qui le poussait à poser des questions. On le voyait fréquemment caresser sa moustache, ou la lisser du bout des doigts, voire la marteler avec les jointures de ses doigts : cela dépendait de l'intensité du signal. Les observateurs considéraient ce geste comme un tic nerveux. Inutile de préciser que ce n'était pas là quelque chose que Qwilleran souhaitait expliquer, même à ses plus proches amis.

Avec la disparition de ce randonneur, une sensation agaçante sur sa lèvre supérieure le poussa à se rendre à Fishport, modeste bourgade près de la villégiature de Mooseville où il possédait un chalet en bois et huit cents mètres en bord de lac. Ce chalet, partie de son héritage, était petit et très ancien, mais convenable pour de courts séjours en été. A seulement cinquante kilomètres de Pickax, son isolement était plus psychologique que géographique. Mooseville, avec son panorama de cent cinquante kilomètres de lac et son grand dôme céleste, offrait un monde différent. Même le couple de siamois avec lequel il vivait appréciait son caractère exceptionnel.

Un destin favorable les avait unis tous les trois. La femelle était une pauvre petite chatte riche abandonnée dans une banlieue chic quand Qwilleran l'avait trouvée. A cause de son expression douce et de ses manières séduisantes, il l'avait appelée Yom Yom. Le mâle musclé au poil brillant s'était simplement installé chez Qwilleran, à une époque où celui-ci s'efforçait de reconstruire sa vie. Kao K'o Kung, tel avait été son nom avant de devenir orphelin, était maintenant baptisé Koko. Il possédait de magnifiques vibrisses et de remarquables qualités sensorielles. En fait, Koko et Qwilleran avaient développé une sorte de parenté entre eux, l'un avec un système de radar félin, et l'autre avec une moustache intuitive.

Le lendemain de la parution de l'article sur le randonneur, Qwilleran prit sa voiture pour aller en ville afin d'annoncer au bureau du *Quelque Chose* ses projets de vacances et porter sa copie pour « la Plume de Qwill ». Il avait écrit mille mots sur la fête nationale du 4 Juillet, du point de vue de Benjamin Franklin. (Comment le Pauvre Richard[1] réagirait-il aux barbe-

1. Allusion à l'*Almanach du Pauvre Richard* de Benjamin Franklin, publié tous les ans, sous le pseudonyme de Richard Saunders, de 1732 à 1757. *(N.d.T.)*

cues et aux lycéennes en collants argentés de majorettes ?) Il trouva le bureau du rédacteur en chef décoré de banderoles en papier crépon et d'un panneau sur lequel on avait barbouillé :

BON ANNIVERSAIRE, JUNIOR...
AUJOURD'HUI VOUS AVEZ SEIZE ANS !

Junior Goodwinter avait plus de trente ans, mais sa petite stature et ses traits juvéniles lui donnaient l'apparence d'un éternel adolescent.

— Joyeux seize ans ! dit Qwilleran. Vous ne paraissez vraiment pas un jour de plus !

Se laissant tomber dans un fauteuil, il posa sa cheville droite sur son genou gauche.

— Vous reste-t-il du café ?

Le jeune rédacteur fit pivoter son fauteuil et remplit une tasse.

— Avez-vous lu notre article sur le randonneur, Qwill ? Une institutrice de Sawdust City nous a téléphoné pour nous reprocher d'avoir cité le pêcheur verbatim au lieu de corriger sa grammaire. Ce qui est imprimé est exactement ce qu'il a dit. Sa déclaration a été enregistrée par Jill.

— Ne tenez pas compte de cette maniaque, dit Qwilleran. Il n'y a aucun mal à donner un peu de couleur locale pour relever la monotonie du langage châtié.

— Je suis de votre avis, dit Junior. Un type m'a aussi appelé pour se plaindre que la femme de Hawley s'exprimait mieux que son mari. Il a prétendu que nous étions de parti pris.

— Je les ai rencontrés tous les deux. Les Hawley parlent bien ainsi, pour l'amour du ciel ! Je suis heureux de ne pas être à votre place, Junior !

— La femme de Sawdust City voudrait que nous commencions une chronique sur le bon usage de la langue « au lieu de donner autant d'importance au sport », je la cite.

— Personne ne lirait ce genre de chronique.

— Ou alors il faudrait qu'elle soit faite sur le mode humoristique... Quoi qu'il en soit, que faites-vous le 4 ?

— Je vais passer un mois de vacances au bord du lac.

— Emmenez-vous les chats ?

— Naturellement ! Le bord du lac est le paradis des chats. Le porche vitré les met aux anges ! Je vais là-bas pour la paix et la tranquillité. Ils y vont pour les bruits et le spectacle : le rire rauque des mouettes, le pépiement des bécasseaux, le croassement des corbeaux, le cri des écureuils ! Et tout bouge : les oiseaux, les papillons, les sauterelles, les roseaux des sables qui ondoient, les vagues qui clapotent...

— Je comprends que cela les amuse, dit Junior. Et vous, qu'allez-vous faire ?

— Lire, flâner, me promener à vélo, marcher sur la plage...

— Pourrez-vous expédier votre copie de là-bas ?

— Quoi ?

— Quelqu'un a-t-il un fax que vous puissiez utiliser ?

— Vous oubliez que je pars en vacances. Je n'en ai pas pris depuis je ne sais plus quand.

— Mais vous savez bien que nos lecteurs piquent des crises de nerfs si votre chronique ne paraît pas... Et vous vous vantez de pouvoir l'écrire avec une main attachée derrière le dos.

— Eh bien... mais seulement parce que c'est votre anniversaire.

— Avez-vous lu l'article de Jill sur le nouveau restaurant qui s'est ouvert là-bas ?

— Oui, et j'ai hâte de l'essayer. Et aussi le nouveau théâtre d'été.

— Il ouvre vendredi, dit Junior. Aimeriez-vous faire la critique de la pièce pour nous ?

Croisant le regard sombre de Qwilleran, il ajouta :

— Je sais que vous êtes en vacances, mais vous êtes écrivain et les écrivains écrivent... comme les autres gens respirent. Allons, Qwill, je parie que vous pouvez faire une critique les yeux bandés !

— Bon... je vais y réfléchir.

Avant de quitter l'immeuble, Qwilleran s'arrêta dans le bureau du directeur. Arch Riker et lui étaient amis de longue date et avaient été journalistes ensemble au Pays d'En-Bas. Tous deux s'étaient adaptés à la vie à la campagne, mais Arch était allé plus loin et avait épousé une femme du pays. Maintenant son teint florissant brillait du contentement d'une cinquantaine épanouie, et sa silhouette pansue le devenait davantage. Mildred Riker tenait la rubrique culinaire du journal.

Qwilleran demanda :

— Êtes-vous allés vous installer tous les deux dans votre maison de la plage ?

— Bien sûr ! Le trajet est plus long mais en vaut la peine. Il y a quelque chose dans l'air du lac de très revigorant.

« Et un peu grisant, pensa Qwilleran. Les autochtones sont tous un peu toqués et les estivants le deviennent bientôt. » A haute voix, il dit :

— Je vais préparer les chats et nous partirons cet après-midi. Polly est absente pour tout le mois, comme vous le savez.

Riker avait sa Mildred, et Qwilleran sa Polly Duncan. Elle était directrice de la bibliothèque municipale de Pickax, et l'éventualité de leur mariage était largement discutée dans la communauté. Cependant, tous deux préféraient leur style de vie individuelle et prétendaient que leurs chats étaient incompatibles.

— Pourquoi ne viendriez-vous pas dîner avec nous ce soir ? proposa Riker. Les Compton seront là et Mildred va préparer ses célèbres côtes de porc mitonnées.

— A quelle heure ?

— Vers sept heures... Que pensez-vous du mystère de Fishport ? Avez-vous entendu les rumeurs sur les Hawley ?

— Oui, et je ne les honorerai pas d'un commentaire.

— Personnellement, dit Riker, je pense que toute cette histoire est un coup de pub fomenté par la chambre de commerce pour promouvoir le tourisme.

Qwilleran ne pouvait jamais quitter la ville sans s'arrêter chez le bouquiniste. Il collectionnait les classiques d'occasion comme d'autres, ayant son statut financier, collectionnaient les Van Gogh. En ce moment il s'intéressait à Mark Twain. Passant de la rue ensoleillée à la boutique sombre, il distinguait mal ce qu'il y avait autour de lui, mais il y eut un mouvement au-dessus d'une table et il devina que c'était Winston, le chat gris à longs poils, qui agitait sa queue sur les biographies. Il entendit des bruits dans l'arrière-boutique et il sentit l'arôme du bacon frit. Eddington Smith préparait son déjeuner.

La cloche de la porte alerta le vieux bouquiniste grisonnant qui se hâta vers son client :

— Mr. Q. ! Je vous en ai trouvé trois de plus, tous avec de bonnes reliures ! *Un Yankee à la cour du roi Arthur, Un conte de cheval* et *La Célèbre Grenouille sauteuse de Calaveras.* Mark Twain est venu donner une conférence ici, un jour, m'a dit mon père, aussi ses livres étaient-ils très populaires. On en trouve deux ou trois dans chaque liquidation.

— Eh bien, ouvrez l'œil sur les titres que je

recherche, Ed. Je pars en vacances pour quelques semaines.

— Avez-vous suffisamment de quoi lire ? Je sais que vous aimez Thomas Hardy et je viens de trouver une édition reliée de *Loin de la foule déchaînée*. Mon père utilisait souvent cette expression et je ne me serais jamais douté qu'elle venait de Thomas Hardy.

— Ou de Thomas Gray, corrigea Qwilleran. Gray l'a employée le premier — dans *Élégie écrite dans un cimetière campagnard.*

— Je l'ignorais, dit Eddington, toujours heureux d'apprendre quelque chose de nouveau. Je le dirai à mon père ce soir quand je lui parlerai.

Puis il ajouta en réponse à un regard interrogateur :

— Je lui parle tous les soirs et lui raconte les événements de la journée.

— Depuis combien de temps est-il parti ? demanda Qwilleran.

— Il est mort paisiblement dans son sommeil, il y aura quatorze ans le mois prochain. Nous avons travaillé ensemble dans le commerce des livres pendant près de quarante ans.

— Un privilège rare.

Qwilleran n'avait pas connu son propre père. Il acheta le livre de Thomas Hardy ainsi que les autres et il quittait la boutique avec ses achats quand le bouquiniste le rappela :

— Où allez-vous en vacances, Mr. Q. ?

— Juste à Mooseville.

— C'est parfait. Vous verrez bientôt des soucoupes volantes.

Qwilleran se hérissa à cette suggestion mais murmura un « peut-être » poli. Lui et Arch Riker professaient un scepticisme affiché à ce sujet et se moquaient des racontars sur les OVNI de Mooseville. En revanche, la chambre de commerce les encourageait, espérant un incident qui ferait de la ville la Roswell du Nord. Les touristes étaient excités à la perspective de voir des extraterrestres. Des autochtones les appelaient amicalement les « Visiteurs » ; d'autres leur imputaient les caprices du temps ou les maladies des moutons. A sa grande consternation, Qwilleran avait découvert, parmi ceux qui croyaient aux OVNI, des personnes comme la femme de Riker, un inspecteur d'académie et une jeune héritière sophistiquée de Chicago... ou du moins ces personnes feignaient-elles d'y croire afin de préserver la tradition locale, comme les adultes font semblant de croire au Père Noël.

Le dernier arrêt de sa tournée matinale fut l'atelier de décoration d'Amanda où Fran Brodie, le bras droit efficace de la propriétaire, venait de rentrer de vacances. C'était une des plus séduisantes jeunes femmes de Pickax ainsi qu'une des plus talentueuses, et maintenant elle ajoutait à ses charmes le fait de revenir d'un voyage à l'étranger.

— Je n'ai pas besoin de vous demander si vous avez pris du bon temps, vous avez l'air particulièrement gaie, dit Qwilleran.

— Ce fut fabuleux ! s'écria-t-elle en secouant ses cheveux blond-roux. Êtes-vous jamais allé en Italie ?

— Seulement comme correspondant de guerre pour les journaux du Pays d'En-Bas.

— Vous devriez y aller en vacances et y emmener Polly ! Les villes ! La campagne ! L'art ! La cuisine ! Les gens !

Elle roula les yeux d'une manière qui suggérait qu'elle ne racontait pas tout, spécialement sur... *les gens*.

— Asseyez-vous, Qwill, nous avons des choses à discuter.

Elle avait exécuté un petit travail de décoration

pour lui et s'occupait maintenant de la rénovation de l'hôtel de Pickax, mais sa plus grande passion était le Club Théâtral de Pickax. C'était elle qui avait eu l'idée d'organiser un théâtre d'été dans une grange près de Mooseville. Ils allaient ouvrir la saison avec une comédie, *Visiteur d'une petite planète.*

— Allez-vous faire la critique de notre spectacle, Qwill?

— Je le crains.

— Pour la première fois dans l'histoire du club, nous allons avoir des critiques des comtés voisins : le *Lockmaster Ledger* et le *Bixby Bugle*! Connaissez-vous la pièce?

— Je sais seulement qu'elle a été écrite par Gore Vidal et qu'elle a été créée à Broadway il y a longtemps.

— C'est une production amusante, dit Fran. Une soucoupe volante atterrit devant la maison d'un commentateur de la télévision et un Visiteur de l'espace se met à provoquer des ennuis.

— Qui joue le Visiteur? Avez-vous pu le tirer d'un groupe de petits acteurs verts?

— C'est là que réside notre grande plaisanterie, Qwill. Nous avons délibérément choisi des comédiens qui font moins d'un mètre soixante-dix pour interpréter les Terriens, aussi l'arrivée du Visiteur provoque un choc : il mesure près de deux mètres!

— Derek Cuttlebrink!

— N'est-ce pas une trouvaille? Larry joue le commentateur et Scott Gispell est parfait dans le rôle du général arrogant... Dois-je mettre deux billets de côté pour vous à la caisse pour la représentation de vendredi?

— Un seul suffira, dit Qwilleran. Polly passe ses vacances avec sa sœur dans l'Ontario. Elles vont voir du Shakespeare à Stratford et des pièces de Bernard Shaw à Niagara-on-the-Lake.

— Oh ! comme je les envie ! s'écria Fran.

— Ne soyez pas trop gourmande ! Vous venez de voir le pape à Rome, David à Florence et tous ces gondoliers virils à Venise.

Elle lui jeta un de ces regards dont elle avait le secret, mi-grondeur, mi-amusé.

— Où avez-vous trouvé une grange adéquate pour un théâtre ? demanda-t-il.

— Avery Botts nous a permis d'utiliser son étable pendant neuf week-ends. Chaque pièce sera jouée trois week-ends.

— Je vois, dit pensivement Qwilleran. Et que feront les vaches pendant les week-ends ?

— Êtes-vous sérieux, Qwill ? Avery a cessé la production laitière depuis très longtemps, quand l'État a construit la prison. On lui a donné beaucoup d'argent pour son terrain et il s'est converti dans l'élevage des volailles. Vous devez avoir vu sa propriété sur le bord du lac, juste à l'ouest de la route de Pickax : une grande ferme blanche à colombages, avec de nombreuses dépendances blanches. Un panneau à l'entrée du chemin indique : ŒUFS FRAIS... *FRYERS*. Avery raconte une histoire drôle à ce propos. Voulez-vous l'entendre ?

— Est-elle correcte ?

— Eh bien, un jour d'été, commença-t-elle, un gommeux de la ville avec une blonde incendiaire entra en décapotable dans la cour de la ferme et cria qu'il voulait une douzaine de *fryers*. Avery lui répondit qu'il n'en avait que trois sous la main mais qu'il aurait les neuf autres dans deux heures. Le gars fit demi-tour en criant : « Oubliez ça et vendez vos trois œufs à quelqu'un d'autre ! » avant de s'éloigner dans un nuage de poussière. Quand il raconte cette histoire, Avery rit tant qu'il suffoque.

— Je ne comprends pas, reconnut Qwilleran, mais je suis un de ces gommeux de la ville moi-même.

— Pour votre gouverne, Qwill, un *fryer* est un coquelet et non pas un œuf à frire.

— Hum... on apprend quelque chose tous les jours.

— Nous allons appeler notre théâtre les Tréteaux d'été du club des Fryers... Mais il n'y a que moi qui parle. Quoi de neuf ?

— Seulement que les chats et moi allons partir à la plage pour un mois.

— Avez-vous vu votre nouvelle maison d'amis ?

— Pas encore. J'espère que vous ne l'avez pas rendue trop confortable ou trop attrayante. Je ne veux pas me retrouver à la tête d'un motel.

— Ne vous inquiétez pas. Je l'ai décorée dans des tons bilieux et garnie de matelas défoncés, de serviettes râpeuses et de peintures encadrées représentant des naufrages.

— Bravo ! dit-il. Je vous verrai vendredi soir. Bonne chance !

En retournant à la grange chercher les siamois pour l'expédition à Mooseville, Qwilleran réfléchit à ce qu'il devait emporter dans sa camionnette. Pour lui, ce serait tout d'abord son percolateur. Autrement, il aurait surtout besoin de chemises polo, de shorts et de sandales, plus le nécessaire pour écrire et quelques livres. Il n'y avait aucune raison d'emporter le révolutionnaire « vélo couché » high-tech qui lui avait été offert par la communauté comme marque d'estime[1]. Le cycliste, allongé dans un siège baquet, pédalait avec les pieds surélevés. Inutile de préciser que cela produisait une telle sensation à Pickax qu'il s'aventurait rarement sur la route. En revanche, il exposait l'engin dans son living-room comme un objet d'art, ce qui fournissait un sujet de conversation

1. Voir *Le Chat qui parlait aux oiseaux*, 10/18, n° 3020.

tout trouvé. Mais, pour le moment, il décida de laisser la bicyclette où elle était. Après tout, il disposait d'un vélo tout-terrain dans la cabane à outils du chalet.

Les besoins des chats en vacances étaient plus complexes. Il devrait prendre leur coussin bleu sur le haut du réfrigérateur, le plat à rôtir qui leur servait pour leurs besoins, plusieurs paquets de leur litière favorite, douce à leurs pattes ; il fallait aussi leur brosse, leurs assiettes spéciales pour la nourriture et la boisson, une provision pour un mois de *Kabibbles,* ces gâteries croustillantes préparées par une voisine, quelques boîtes de leur marque préférée de saumon rose, de crabe, de langouste et de dinde fumée.

Il était précisément l'heure de leur repas de mi-journée et ils devaient l'attendre en piaffant sur leurs longues pattes fines, secouant une queue éloquente, levant des yeux avides — ces flaques de bleu dans leurs masques sombres. Quand il ouvrit la porte, cependant, tous deux étaient endormis sur le divan, un mélange de pâle fourrure beige, de pattes et de queues noires, chaque tête enterrée sous le ventre de l'autre à l'exception de trois oreilles visibles.

— Festin ! dit-il d'une voix étouffée.

Deux têtes se soulevèrent.

— Yao ! clama Koko pour toute réponse.

— Miaou !... cria Yom Yom sur le mode aigu.

Quand les bagages furent prêts et la camionnette chargée, et Yom Yom pourchassée, capturée et enfermée dans le panier à chat, Koko fut découvert assis dans le siège baquet du vélo couché, l'air important.

« Oh, bon, pensa Qwilleran. Je peux aussi bien l'emporter. Je pourrai m'en servir dans les chemins vicinaux ! »

CHAPITRE II

Les deux passagers dans le panier à chat sur le siège arrière se plaignirent et se battirent pour prendre position avant de finir par s'installer quand la camionnette marron prit de la vitesse sur la route nationale. La route de Mooseville s'étendait vers le nord. Pour Qwilleran, elle était parsemée de souvenirs et de marques de ses premières expériences dans le comté :

Dimsdale Diner (mauvais café, bons ragots)... Ittibittiwassee Road (tournez à gauche pour Shantytown, à droite pour la mine Buckshot)... vieil élevage de dindes (autrefois dirigé par le premier mari de Mildred Riker)... cimetière abandonné (avec du sumac vénéneux)... prison d'État (jardins de fleurs renommés, scandale abominable).

Devant les grilles de la prison, les siamois somnolents se réveillèrent, tendirent le cou et reniflèrent. Ce n'était pas l'odeur des roses qu'ils sentaient mais celle du lac, encore à cinq cents mètres de là. Ils détectaient les effluves de l'eau, ceux des herbes aquatiques, des algues, du plancton, des vairons !

Leur excitation s'accrut quand la camionnette roula sur la route côtière. A gauche, Qwilleran vit la ferme d'Avery Botts, et les Tréteaux d'été du club des Fryers... à droite, il aperçut le lac entre les arbres... sur la gauche, des pâturages avec du bétail ruminant ou des chevaux exhibant leurs robes luisantes dans une attitude noble... à droite, la barrière rustique du Club du Haut des Dunes, où les Riker avaient leur maison... sur la gauche, une cheminée de pierre solitaire, vestige d'une vieille école à classe unique... à droite, le panneau indicateur portant la lettre K.

C'était l'ancienne propriété Klingenschoen, cent trente hectares de forêt sur des dunes de sable. Une piste sablonneuse serpentait entre les pins, les chênes, les érables et les cerisiers. Après une succession de montées et de descentes, elle émergeait dans une clairière où le chalet surplombait cent cinquante kilomètres d'eau. Construit en rondins qui s'entrecroisaient dans les angles, le petit chalet semblait ancré dans le sol par son énorme cheminée. Des pins hauts de plus de vingt mètres avec seulement quelques branches au sommet l'entouraient comme des sentinelles.

Avant de transporter les chats à l'intérieur, Qwilleran inspecta les lieux, qui avaient été nettoyés et préparés pour l'été par une équipe de jeunes d'un service d'entretien appelé les Gnomes du Géant de sable. L'espace intérieur était limité à une seule grande pièce avec deux alcôves fermées servant de chambres d'un côté et la cheminée en pierre monumentale de l'autre. Ce qui donnait une impression d'espace et une certaine grandeur était l'absence de plafond : le regard s'élevait jusqu'au sommet du toit et ne rencontrait que les poutres. Dès que les volets furent ouverts, la grande fenêtre en face du lac et les trois lucarnes du toit déversèrent des flots de lumière à l'intérieur.

Alors seulement le panier fut transporté dans le chalet et ses occupants se bousculèrent pour sortir en miaulant haut et fort. La porte minuscule fut ouverte et soudain ils se turent et se calmèrent.

— Tout va bien, leur assura Qwilleran. Pas de lion ou de tigre à l'horizon. Le sol a été nettoyé et vous pouvez marcher dessus en toute sécurité.

Plus vous parlez aux chats, croyait-il, et plus ils deviennent intelligents.

Immédiatement ils reconnurent le porche avec son sol en ciment chauffé par les rayons de soleil. Ils s'y précipitèrent pour s'allonger et se gratter le dos sur sa surface rugueuse. Koko s'étendit de tout son long pour mieux absorber toute la chaleur sur son pelage.

Il aime le soleil et le soleil l'aime, pensa Qwilleran. Il citait mentalement un autre journaliste, Christopher Smart[1], qui avait écrit un poème sur son chat Jeoffrey. C'étaient des rimes riches, se prêtant à être citées, même si Christopher et Jeoffrey avaient vécu au XVIIIe siècle.

Tandis que les siamois flânaient en plein air, Qwilleran déchargea la camionnette — en premier, le vélo couché. Le vieux VTT robuste était dans la cabane à outils, mais la fière merveille technologique avec son siège baquet et ses pédales surélevées méritait plus de respect. Il l'installa sous le porche de la cuisine. Des essais sur les routes secondaires de Pickax l'avaient convaincu que c'était là un moyen de transport plus sûr, plus rapide et moins fatigant qu'une bicyclette conventionnelle. Quant à avoir l'audace de monter sur une pareille curiosité à Mooseville, tellement empreinte de traditions, cela restait encore à décider.

L'installation des autres bagages l'aida à se sentir chez lui : les vêtements dans l'alcôve-chambre à coucher, son matériel pour écrire dans celle servant de bureau, les livres sur les étagères du living-room. Deux exceptions allèrent sur la table à thé : le roman de Thomas Hardy en raison de sa reliure impression-

1. Christopher Smart (1722-1771), poète et satiriste anglais, célèbre pour sa vive imagination. *(N.d.T.)*

nante et *Mark Twain de A à Z* à cause de sa grande taille. Koko aimait s'asseoir sur les grands livres.

Il y avait un second porche abrité donnant sur le lac — avec une vue magnifique et beaucoup de soleil l'après-midi —, mais les siamois avaient découvert que le sol en ciment ne valait rien pour s'y rouler. Il y avait du sable ramené de la plage ou soufflé par le vent.

Le chalet était perché sur une haute dune qui avait mis des centaines d'années à se former ; les pentes raides de celle-ci étaient maintenues en place par des roseaux des sables et du laiteron. Une « échelle de sable » permettait de descendre directement sur la plage ; c'était une construction sommaire, où des planches de cinq centimètres d'épaisseur sur dix de large servaient de contremarches retenant le sable instable.

Qwilleran, vêtu pour aller dîner d'un short blanc et d'un polo noir, se tenait en haut de l'échelle quand il remarqua que la plage avait changé d'aspect. Normalement, elle était constituée par une longue étendue de sable sec ; c'était maintenant une surface plate et dure couverte de galets alors que le sable avait été repoussé en une crête au pied de la dune. Ce sable pourrait être soufflé ou entraîné dans l'eau au prochain orage. C'était fascinant de vivre sur le rivage. L'eau elle-même pouvait passer en quelques minutes du calme parfait à une grande turbulence, tandis que sa couleur variait du bleu au turquoise puis au vert.

Il marcha sur le rivage pour gagner la maison des Riker. Les premiers huit cents mètres bordaient sa propriété et comprenaient le rocailleux Seagull Point. Puis venait la rangée de cottages connus sous le nom de Club du Haut des Dunes. Cette année, on leur avait attribué des noms, affichés sur des panneaux en bois. Joueurs de golf, les Mabley avaient appelé leur maison *La Banquette*[1]. Le vieux cottage des Dunfield, que l'on disait hanté, était maintenant *Le Petit Manderley*. Une petite maison en bois était appelée *La Petite Maison encadrée*, ce qui ne nécessitait pas d'explication quand on savait que les propriétaires étaient encadreurs de tableaux. Le *Bah Sottises* ne pouvait appartenir qu'aux Compton. Lyle était inspecteur d'académie, un grognon notoire avec un sens de l'humour certain.

La plupart des propriétaires étaient sur leur terrasse et hélèrent Qwilleran. Certains l'invitèrent à prendre un verre.

Le dernier cottage de la rangée était celui des Riker. C'était un bungalow en bois peint en jaune appelé *Stupeur solaire*.

— Est-ce le nom le plus amusant auquel vous ayez pensé ? demanda Qwilleran, ne perdant jamais une occasion de taquiner son vieil ami.

Arch servait les boissons, Mildred des canapés. Les Compton étaient déjà là et Toulouse, silencieuse boule de fourrure noire et blanche, était assis sur le mur de la terrasse.

— Est-ce qu'il ne dit jamais rien ? demanda Qwilleran, en comparant son silence aux miaulements tonitruants de Koko.

— Il prononce un miaou poli quand je lui donne à manger, dit Mildred. Pour un gouttière, il est très bien élevé.

Elle portait un caftan, destiné à dissimuler ses formes. La tenue décontractée de son mari ne camouflait rien de sa silhouette d'homme bien nourri, mais il était lui-même heureux et serein. En comparaison, Lyle Compton paraissait sous-alimenté et débordé de

[1]. Terme de golf désignant un accident de terrain artificiel près d'un green. *(N.d.T.)*

travail après trois décennies passées à affronter les conseils scolaires, les professeurs et les parents. Lisa Compton était aussi charmante que son mari feignait d'être grognon.

Mildred annonça :

— Qwill a fait construire une maison d'amis !

— Attendez-vous beaucoup de visites ? demanda Lisa.

— Non. C'est strictement pour permettre de passer une nuit en cas d'urgence, dit-il. C'est un peu plus grand qu'une maison de poupée, et un peu plus confortable qu'une tente. Je suis ici pour m'éloigner de tout et je n'encourage pas les visites prolongées.

Lisa s'enquit de Polly Duncan. On voyait en général le couple ensemble au cours des dîners.

— Elle passe le mois de juillet à voyager au Canada avec sa sœur.

— Tout un mois ? Elle va vous manquer, prédit Mildred.

Il haussa les épaules.

— Elle est partie en Angleterre durant tout un été et j'ai survécu.

La vérité était que leurs conversations téléphoniques nocturnes lui manquaient déjà et leurs week-ends passés ensemble lui manqueraient plus encore.

— Quelqu'un a-t-il essayé le nouveau restaurant ?

Personne ne l'avait fait, mais tout le monde avait lu les commentaires dans la page gastronomique du *Quelque Chose*. Un couple était venu de Floride pour diriger l'établissement pendant les mois d'été. La femme était à la cuisine avec un diplôme d'une école hôtelière. Cela semblait prometteur.

— Nous avons insisté sur sa formation, précisa Mildred, parce que l'université aura bientôt une section culinaire et nous savions que nos lecteurs seraient curieux de connaître le curriculum de cette sorte d'école. C'était un article élogieux, mais l'époux du chef a eu le mauvais goût de téléphoner pour se plaindre parce que nous n'avions pas mentionné le prix des entrées, ni donné la liste des desserts.

Lisa hocha la tête.

— Il était probablement jaloux parce que sa femme a reçu toute l'attention et qu'il ne figurait même pas sur la photographie.

Puis ils discutèrent de la disparition mystérieuse du randonneur (aucune conclusion)... des Gnomes du Géant de sable (de bons gosses)... du soudain baptême des maisons de la plage (le neveu d'un des propriétaires travaillait dans l'affichage).

Qwilleran se tourna vers Lyle :

— Qu'y a-t-il de nouveau dans le système scolaire ? Des conspirations ? Des effusions de sang ?

— Je vais vous dire où le bât blesse, répondit Lyle d'un ton tranchant. Le Fonds K a été si généreux avec nos écoles que nous sommes passés du plus bas niveau de dépense par étudiant au plus élevé de l'État. Aussi notre part de financement d'État a été réduite à deux fois rien. En même temps, ils nous indiquent ce qu'il faut enseigner et comment !

— Et si nous ne cédons pas, nous sommes menacés de nous voir retirer le contrôle de nos écoles ! ajouta Lisa.

— On me passera plutôt sur le corps ! s'exclama Lyle. Notre système scolaire deviendra privé ! Tout le comté devrait faire sécession avec l'État : la principauté de Moose, à 600 kilomètres au nord de partout, avec notre propre gouvernement, nos propres impôts, notre propre système éducatif !

— Et mon mari en monarque régnant, s'écria Lisa. Le roi Lyle Ier !

— Merci, dit-il. Qwill pourra être le chancelier de l'Échiquier et Arch l'échanson du Cellier royal !

— Je vais boire à ce vœu pieux, dit leur hôte en débouchant une nouvelle bouteille.

Pendant qu'il faisait le service, Lisa demanda à Qwilleran quels étaient ses projets de vacances et Lyle voulut savoir s'il avait apporté son étrange bicyclette.

— Si vous voulez parler du vélo couché, oui, je l'ai apporté, mais je n'ai l'intention de l'utiliser que sur les routes secondaires. Mooseville n'est pas prête à recevoir cet objet de haute technologie artistique.

— Et qu'avez-vous l'intention de lire ? questionna Mildred.

— Principalement de vieilles éditions de Mark Twain qu'Eddington Smith a trouvées dans des ventes aux enchères. Il est surprenant de constater à quel point la précédente génération s'intéressait aux livres, même dans les coins les plus reculés du pays.

— Il n'y avait pas de distractions électroniques, dit Lyle. Il y avait aussi beaucoup de richesse au XIXe siècle et une bibliothèque impressionnante donnait un statut à une famille, que les livres soient lus ou non. Probablement pas. J'imagine que vous rencontrez beaucoup de pages non coupées, Qwill.

— Oui. Mais pas dans les livres de Mark Twain. Au contraire, ils ont tous été très feuilletés.

— Il est venu ici au cours d'une tournée de conférences, dit Lisa. Mon arrière-grand-mère s'était entichée de lui. Elle s'était laissé séduire par sa moustache, j'imagine. J'ai son journal intime. Les pages sont brunies et l'encre effacée, mais c'est plein de détails fascinants !

Qwilleran en prit mentalement note pour « la Plume de Qwill » : le journal de l'arrière-grand-mère de Lisa !

Quand Mildred les invita à entrer pour passer à table et qu'ils se mirent à déguster le potage aux noix cendrées et au poivre grillé, elle demanda :

— Allez-vous tous voir la pièce de théâtre qui se joue dans la grange ? Ce sera peut-être la dernière production de Fran Brodie. J'ai appris qu'on lui avait offert une brillante situation à Chicago. Elle y a passé deux semaines afin de travailler à la décoration de l'hôtel.

— Mauvaise nouvelle ! murmura Lisa. Ne pouvons-nous faire quelque chose pour la garder ?

— Poussez le professeur Prelligate à la demander en mariage. Ils se sont beaucoup vus.

— Il faudra davantage qu'un président d'université pour conserver Fran au pays, dit Arch. Il vaudrait mieux que Qwill se dévoue.

— Chéri, coupa Mildred, sers donc le vin. Je vais chercher les côtelettes.

Avec les côtes mitonnées, Mildred servit des pommes de terre rôties et un soufflé au brocoli, accompagnés de pinot noir, et reçut les félicitations de Lyle qui leva son verre :

— Jeudi est le jour de l'Indépendance. Buvons à la femme de génie qui a réussi, seule, à tirer la parade du 4 Juillet du fond du puits pour la lancer dans les étoiles !

— Bravo ! Bravo ! crièrent les autres avec vigueur.

Mildred rougit.

— Lyle, je ne savais pas que vous pouviez être aussi poétique.

— Un discours ! Un discours !

— Eh bien, nos parades devenaient de plus en plus commerciales et politisées. Le comble a été la distribution de bonbons gratuits pour les enfants sur fond de musique rock venant d'un camion et sans le moindre drapeau américain ! Quelqu'un devait sauter à pieds joints sur cette fourmilière, et j'ai de grands pieds !

— Voilà bien ma femme, dit Arch avec fierté.

— Cette année, la parade aura des drapeaux, des fanfares, des chars de carnaval, une participation des communes rurales et un peu d'originalité. Il y aura des athlètes du lycée de Mooseland en uniforme, qui défileront sur quatre rangs de cinq en portant une bannière avec une seule lettre de l'alphabet. Chaque rangée épellera un mot : PEACE, TRUTH, HONOR et TRUST[1].

— Très astucieux, dit Lisa. Qui sera le maître des cérémonies ?

— Andrew Brodie, en costume écossais avec sa cornemuse. Il défilera en tête de la garde et jouera des airs patriotiques sur un tempo lent.

— Peut-être est-ce parce que je suis née Campbell, dit Lisa, mais il y a quelque chose dans la musique de cornemuse qui me fait vibrer d'émotion.

— Les chars seront sponsorisés par la chambre de commerce, l'Association des parents d'élèves et celle de la pêche industrielle, les marinas privées et les Amis de la laine.

Mildred faisait allusion à un nouveau groupement où coopéraient producteurs de laine, filateurs, tricoteurs et autres artistes de cette matière.

— Barb Ogilvie est notre très talentueux mentor. Elle enseigne le tricot et a même créé un club. Elle dirige des cours pour enfants. Au lycée, elle était considérée comme un peu indisciplinée, mais elle s'est assagie. Arch vous a-t-il dit qu'il apprenait à tricoter des chaussettes ?

Qwilleran se tourna vers son ami avec étonnement.

— Arch ! Pourquoi m'avez-vous caché ce vilain petit secret ?

— Sapristi, c'est là quelque chose que vous faites quand vous avez atteint un certain âge et que vous êtes amoureux.

1. Paix, Vérité, Honneur et Confiance. *(N.d.T.)*

— Lyle ne me dit jamais de choses aussi charmantes, se plaignit Lisa.

Il y eut un moment de silence que Qwilleran interrompit en demandant :

— Qu'est-ce que les Amis de la laine vont représenter sur leur char ?

— Nous aurons un mouton vivant, un berger jouant de la flûte, deux ouvrières qui fileront de la laine, six personnes qui tricoteront, quatre femmes et deux hommes, si Arch y consent. Le Dr Emerson, le chirurgien, a accepté de participer, et je pense que la présence du directeur du journal apporterait un certain prestige s'il était sur le char, occupé à tricoter une chaussette sur quatre aiguilles.

Tous les yeux s'étant tournés vers lui, Arch soupira :

— Pour citer Shakespeare, « j'veux pas, chui pas forcé et j'le f'rais pas ».

Sur quoi sa femme sourit aux autres d'un air entendu.

Après une traditionnelle salade Waldorf, une Forêt-Noire et le café, Lyle voulut fumer un cigare et les deux autres hommes descendirent avec lui sur la plage en utilisant l'échelle de sable.

Leur premier commentaire porta sur la dune miniature qui s'était formée récemment. Elle s'étendait sur environ un kilomètre et demi selon l'estimation générale.

— Un jour, elle mesurera neuf mètres de haut, prédit Lyle, et nos cottages seront tombés en poussière, ne laissant subsister que les cheminées de pierre. Des touristes venus d'autres planètes contempleront bouche bée ces monuments, tandis que les guides leur expliqueront leur signification religieuse et leur utilisation pour assurer la fertilité et chasser la famine.

Qwilleran fit quelques ricochets en lançant des galets sur le lac placide.

— Vous êtes habile à ce jeu, remarqua Arch. C'est quelque chose que je n'ai jamais su faire.

— C'est l'un de mes rares talents. En revanche, je ne pourrais jamais apprendre à tricoter une chaussette !

— Vous devriez défiler sur le char, Arch, dit Lyle. Je serai sur celui de l'Association des parents d'élèves. Nous avons reproduit une école à classe unique, avec de vieux bancs et des tableaux noirs, un poêle ventru et tout le monde en costumes du XIXe siècle. Je serai le directeur, avec une redingote et un pince-nez, et je brandirai une canne. Je m'attends à être hué par l'assistance. J'espère seulement que l'on ne m'enverra pas des œufs pourris sur la tête !

Il termina son cigare et ils gravirent l'échelle de sable pour retourner sur la terrasse où les deux femmes riaient de façon suspecte.

— Qwill, j'ai quelque chose à vous demander, dit Mildred.

— Ce sera un privilège et un plaisir.

Il ne pouvait jamais rien refuser à Mildred. Elle était si sincère et généreuse et montrait tant de bonne humeur, sans parler de ses qualités de cuisinière.

— Eh bien, la parade ouvre sur un char représentant un tableau de 1776 — la signature de la déclaration d'Indépendance — et se termine par un défilé de bicyclettes. Ne serait-ce pas un finale irrésistible si vous clôturiez la cérémonie sur votre vélo couché high-tech ?

Qwilleran n'hésita qu'une fraction de seconde.

— Cette idée ne m'enthousiasme pas outre mesure, mais... je consens à pédaler avec les pieds en l'air... si Arch accepte de tricoter une chaussette sur votre char.

CHAPITRE III

D'habitude, Koko était un véritable signal d'alarme félin chaque soir à onze heures, rappelant à tout le monde autour de lui qu'il était l'heure d'un petit en-cas avant l'extinction des feux, aussi son comportement pour son premier jour au chalet fit réfléchir Qwilleran. Tous les trois avaient lambiné dans l'obscurité sous le porche en regardant les lucioles faire clignoter leurs petites étincelles lumineuses. Le porche était meublé de chaises agrémentées de coussins et d'une table en résine moulée à l'épreuve des intempéries — blanches, à la suggestion de Fran Brodie, afin de trancher avec les rondins sombres. Tandis que Qwilleran et Yom Yom appréciaient le confort des coussins, Koko s'était pelotonné sur la table, peut-être parce que cela lui donnait une vue élevée sur la plage plongée dans le noir.

Finalement, Yom Yom s'agita, poussant Qwilleran à consulter sa montre et à annoncer :

— Festin !

Elle s'élança à sa suite quand il retourna à l'intérieur pour servir les *Kabibbles*, mais Koko resta à la même place. Il y avait quelque chose en bas, se dit Qwilleran, quelque chose que lui-même ne pouvait voir. La nuit était claire, les étoiles brillaient, les criquets faisaient entendre leurs stridulations. Quelque part, un hibou ulula et un doux clapotis éclaboussait rythmiquement la berge. En résumé, c'était une nuit agréable, sans refroidissement brusque de l'air, aussi Qwilleran laissa la porte du porche ouverte quand il se retira dans son alcôve-chambre à coucher. Koko rentrerait si la scène devenait ennuyeuse et rejoindrait Yom Yom sur le coussin bleu en haut du réfrigérateur.

Qwilleran fit un rêve cette nuit-là. Il rêvait toujours après avoir mangé du porc. Dans son rêve, le comté de Moose avait fait sécession avec l'État pour devenir une principauté indépendante dirigée par une famille royale, un Premier ministre, un cabinet et un conseil national — mais tous les membres étaient des chats ! Il n'y avait rien d'original dans le scénario. Il avait lu *Un Yankee à la cour du roi Arthur*, dans lequel un personnage suggérait un règne félin pour améliorer le système existant. Dans le rêve de Qwilleran, la famille royale féline se montrait intelligente, divertissante et peu coûteuse à entretenir. Il regretta de se réveiller.

Il ne trouva pas Koko plus mal après son escapade nocturne. Il mangea de bon appétit et voulut aller se promener sur l'épaule de Qwilleran. Il sautait sans arrêt sur la poignée de la porte du porche.

— Pas maintenant, lui dit Qwilleran. Plus tard. Tu as pris ton petit déjeuner. J'ai droit au mien. Nous formons une famille démocratique, tu n'es pas le monarque régnant.

Avant de partir pour Mooseville dans sa camionnette, Qwilleran inspecta son nouveau logement pour invité. D'abord il lui fallut le trouver, caché dans les bois. Il était de la dimension de la cabane à outils et construit avec le même bois de cèdre verdâtre, mais ce pavillon avait des fenêtres et une installation sanitaire. Le mobilier, à éléments modulables comprenant des lits superposés, occupait tous les centimètres carrés disponibles. Les couvertures rouges, une carpette de la même couleur et une gravure encadrée représentant des coquelicots étaient un peu accablants dans un espace aussi limité, mais donnaient un air de gaieté. « Ce n'est pas mal pour y passer une nuit, mais je n'aimerais pas y rester deux jours », pensa Qwilleran. Fran savait ce qu'elle faisait.

De là il longea le lac en voiture jusqu'à Mooseville, villégiature pittoresque s'étirant sur trois kilomètres mais guère plus profonde qu'un pâté de maisons, étranglée entre le lac et un haut mur de sable appelé la Grande Dune. Sur la Grande-Rue côté lac se trouvaient les docks municipaux, des marinas privées, les boutiques d'accessoires de pêche et l'*Hôtel des Lumières du Nord.* De l'autre côté il y avait la banque, la poste, une quincaillerie, la *Taverne des Naufragés*, etc. Il existait quelques rues de traverse portant des noms comme Oak, Pine et Maple [1], qui se terminaient au pied de la Grande Dune et étaient bordées de boutiques, de bureaux, de petits cafés-restaurants et du musée des Naufragés.

La Grande Dune, qui avait pris approximativement dix mille ans pour se former, était considérée avec révérence à Mooseville. Elle se dressait de manière abrupte et dominait une partie de la ville de façon protectrice. Elle était couronnée par une luxuriante forêt. Il n'y avait aucune construction au sommet. Même si cela avait été autorisé, qui s'y serait risqué ? L'à-pic de plus de trente mètres était formidable — et célèbre car on le voyait à des kilomètres depuis le lac.

Une seule route coupait à travers la Grande Dune, Sandpit Road, à l'extrémité est de la ville. C'était un souvenir du temps où du sable avait été extrait et

1. Respectivement : Chêne, Pin et Érable. *(N.d.T.)*

exporté pour soutenir l'économie défaillante du pays. Un morceau de la Grande Dune avait été ainsi expédié par bateau au Pays d'En-Bas pour la construction de routes, de ponts et de gratte-ciel en béton — c'était comme une petite partie du comté de Moose injectée dans les villes de tout le centre nord-est des États-Unis.

Le premier jour de ses vacances, Qwilleran faisait toujours le tour de la ville, renouant ses relations avec les commerçants, posant des questions sur ce qu'ils avaient fait durant l'hiver et sur leurs projets pour l'été. Il était bon voisin et aussi excellent agent de relations publiques pour le journal. Ce matin-là, il prit son petit déjeuner à l'hôtel et serra la main des propriétaires ainsi que celle du directeur de la banque en allant encaisser un chèque. Il serra la main de la postière et lui indiqua qu'il s'attendait à recevoir son courrier poste restante. Trois cartes étaient déjà arrivées. A l'épicerie Grott, il serra la main de toute la famille et acheta du jambon cuit pour ses sandwiches. Il serra ensuite la main du caviste auquel il acheta des boissons avec ou sans alcool pour ses éventuels visiteurs.

A la *Taverne des Naufragés* il serra la main du barman.

— Buvez-vous toujours de l'eau de Squunk ? lui demanda ce dernier. Prenez un verre sur le compte de la maison.

— Je crois qu'il est bon de promouvoir les produits locaux, répondit Qwilleran.

Il s'agissait d'une eau minérale venant de la source de Squunk Corners.

— Vous attendez-vous à beaucoup d'affluence demain ?

— Non. Les parades sont des fêtes de famille. Pas vraiment des occasions pour boire.

— Y a-t-il du nouveau dans l'affaire du randonneur disparu ?

— Non. Je pense que ce sont des sottises, comme l'histoire du raton laveur à deux têtes, il y a deux ans. Ça donne aux gens un sujet de conversation.

Ensuite, Qwilleran se rendit à la quincaillerie Huggins pour acheter du produit contre les moustiques et serra la main de Cecil Huggins et de son grand-oncle, un homme à barbe blanche qui travaillait dans la boutique depuis l'âge de douze ans.

— Les moustiques ne sont pas très méchants cette année, n'est-ce pas, Unc[1] ?

— Non, dit le vieil homme. Le temps est trop sec.

Une atmosphère savamment cultivée de « bon vieux temps », appréciée des vacanciers du Pays d'En-Bas, régnait dans le magasin, accentuée par le parquet rugueux, les vieux casiers et une marchandise aussi diverse que des fourches, des lampes à pétrole, des blocs de sel de vingt-cinq kilos, de la nourriture pour chèvre et des clous au kilo.

— Que pouvez-vous me dire sur le nouveau restaurant ? demanda Qwilleran.

— Il est sur Sandpit Road, en face du *Motel de la Grande Dune*, précisa Cecil, dans l'immeuble où l'été dernier un restaurant chinois s'est ouvert et a fermé. Un couple est arrivé de Floride pour s'en occuper durant la saison estivale. La chambre de commerce a fait paraître une annonce dans les journaux de là-bas, en insistant sur les perspectives commerciales et les avantages spéciaux. Le type s'appelle Owen Bowen. C'est sa femme qui fait la cuisine.

— Leur cuisine est trop fantaisiste, dit le vieil homme.

— Peut-être pour les campeurs et la population locale, reconnut Cecil, mais l'idée générale est d'attirer les estivants du Grand Island Club pour qu'ils viennent dans leurs yachts dépenser leur argent ici.

1. Abréviation d'*uncle*, « oncle ». *(N.d.T.)*

— Quels sont les avantages spéciaux ?

— Assez généreux, à ce qu'il semble. Le propriétaire leur a fait un prix pour la location. L'*Hôtel des Lumières du Nord* leur a loué une suite pour le prix d'une chambre ordinaire. La chambre de commerce est intervenue et a fait redécorer le restaurant avant l'arrivée des Bowen.

— Tout était rouge l'année dernière, se souvint Unc.

— Oui. Les murs ont été repeints, la cuisine nettoyée, les vitres lavées... Vous auriez pu penser qu'il serait ravi, n'est-ce pas ? Mais non ! Il est venu à une réunion de la chambre de commerce pour se plaindre de ceci ou cela. Et il voulait que nous débaptisions la Grande Dune pour l'appeler la Falaise Blanche. Il prétendait que ce nom était plus prestigieux, plus attirant pour la promotion. Il s'est adressé à nous comme si nous étions une bande de ploucs.

— Et quel a été le résultat de cette suggestion ? demanda Qwilleran.

— Elle est tombée à plat. Tout le monde sait qu'une falaise est constituée par de la roche ou de la craie. Notre dune est garantie pur sable ! Il existe des dizaines de falaises, mais où trouveriez-vous une dune comme la nôtre ? Nous avons été unanimes à voter contre cette idée et il a quitté la réunion comme un enfant gâté.

— S'il n'y prend pas garde, il se fera botter les fesses par le Géant de sable, ricana le vieil homme.

Qwilleran déclara qu'il espérait que la cuisine était meilleure que la personnalité d'Owen.

— L'avez-vous essayée ? demanda-t-il.

— Pas encore, mais on dit qu'elle est bonne. On raconte que sa femme est aimable. Dommage qu'Owen se montre aussi désagréable !

— Il a une sale bobine ! affirma Unc.

— Au fait, ajouta Qwilleran. J'ai une contre-porte

avec une bobinette à queue-de-rat qui a travaillé. La tige ne s'abaisse pas. Je crains que les chats n'arrivent à l'ouvrir.

— Facile, dit Cecil.

Il lui vendit une bombe de lubrifiant.

Après la tournée obligée de mains à serrer, Qwilleran se rendit à la boutique d'Elizabeth Hart dans Oak Street, au pied de la Grande Dune. Lui ayant sauvé la vie, un jour, il éprouvait un intérêt paternel à son égard. Elle avait appartenu à la haute société de Grand Island et il y avait quelque chose de subtilement différent dans son attitude, sa façon de s'habiller, de parler, comme dans ses manières et ses idées. Riche héritière de Chicago, elle était venue en visite dans le comté de Moose où elle avait rencontré Derek Cuttlebrink, et avait décidé d'y rester. Les deux jeunes gens avaient une bonne influence l'un sur l'autre. Il avait adouci les idées citadines de la jeune fille sans gâcher sa personnalité. Elle avait convaincu Derek de s'inscrire au cours de la section hôtelière de l'université du comté de Moose et c'était lui qui avait trouvé le nom de la boutique de son amie.

Elle s'appelait maintenant *Elizabeth's Magic.* A l'encontre des boutiques de souvenirs des alentours, elle présentait des vêtements exotiques, des objets fabriqués par les artisans locaux et tout un attirail mystique tel que cartes de tarot, pierres ornées de runes, *oui-ja*[1] et porte-bonheur. Il y avait aussi un appareil distributeur de café dans l'arrière-boutique et quelques chaises en aluminium et nylon noir.

Quand Qwilleran entra, Elizabeth était occupée

1. Sorte de planche ornée de signes cabalistiques servant à prédire l'avenir. *(N.d.T.)*

avec des clients, mais elle fit un geste de la main dans sa direction en disant :

— Ne partez pas, j'ai des nouvelles pour vous.

Pendant quelques minutes il se mêla aux curieux, puis il se dirigea vers le distributeur de café. Au bout d'un moment, Elizabeth vint le rejoindre, laissant son assistant, qui avait un physique particulièrement athlétique, surveiller les touristes désœuvrés et encaisser l'argent des clients. Qwilleran demanda :

— Votre boutique est-elle en train de sponsoriser une équipe de football, ou ce type est-il un videur professionnel ?

C'était un de ces grands blonds costauds si représentatifs des jeunes gens de ce pays du Nord.

— Vous ne connaissez pas Kenneth ? C'est un jeune élève prometteur du lycée de Mooseville. Je l'ai engagé comme livreur-manutentionnaire et je l'initie à la vente... Allez-vous assister à la parade demain, Qwill ? J'ai décoré le char de la chambre de commerce représentant la signature de la déclaration d'Indépendance, d'après le tableau de John Turnbull.

— Je le connais, dit Qwilleran, il est à Philadelphie. Qui va jouer les rôles des signataires ?

— Des membres de la chambre de commerce, tous en costumes de 1776, avec des perruques, des culottes, des gilets en satin, des jabots et des chaussures à boucles. Nous avons tout loué à une maison d'accessoires de théâtre de Chicago.

— C'est un gros investissement, dit Qwilleran. Qui va payer tout cela ?

— Vous ! dit-elle avec allégresse. Enfin, pas tout à fait vous, mais le Fonds K. Nous avons fait une demande de subvention.

— Derek va-t-il figurer dans la parade ?

— Non. La pièce de théâtre dans la grange commence vendredi et il tient le rôle principal. Il se consacre entièrement à cela. Mais la grande nouvelle est qu'il a trouvé du travail ! Sous-directeur du nouveau restaurant ! Ils ont un menu recherché et une bonne carte de vins, aussi espère-t-il apprendre quelque chose.

— Avez-vous rencontré Owen Bowen ?

— Seulement à une réunion de la chambre de commerce. C'est un homme entre deux âges, assez bien de sa personne, plutôt hautain et superbement bronzé !

Elle ajouta avec dédain :

— Je le considère un peu comme une pilule difficile à avaler, mais Derek sait le manier.

— Je le crois sans peine.

La taille de Derek, près de deux mètres, ajoutée à sa personnalité assez désinvolte mais aimable, plaisait aux jeunes filles, aux patrons, aux grands-mères, aux chats et aux chiens. Elizabeth reprit :

— C'est Derek qui a trouvé le nom du nouveau restaurant. Le choix d'un nom pour un restaurant est quelque chose qui demande de la psychologie et il a appris çà à l'université. Mr. Bowen avait l'intention de l'appeler — quelle horreur ! — le « Café de la Falaise ». Derek lui a dit que c'était trop banal. *Owen's Place* a un élément de snobisme affiché qui va attirer la riche clientèle de Grand Island.

A ce moment-là, elle fut appelée dans la boutique et Qwilleran regarda un voilier parmi les objets exposés. Il était fait à la main, entièrement en cuivre, et étiqueté : *Sloop équipé de son hunier, de sa grand-voile, du foc et du spinnaker, par Mike Zander.* C'était un pêcheur professionnel, dont le passe-temps favori était le travail du métal.

— Le piédestal en fait-il partie ? demanda Qwilleran à Kenneth.

— Je l'ignore, mais le gars vous le vendra certainement. Il pèse une tonne. Je pourrais vous le livrer, si vous le désirez.

Lorsque Qwilleran s'en alla, il avait acheté la sculpture en cuivre et une traverse de chemin de fer. Il avait toujours aimé les voiliers, bien qu'il n'eût jamais appris la différence entre un sloop, un cotre et un ketch. Il achetait des magazines de yachting, lisait des récits sur les courses et les coupes, et la vue des régates de voiliers filant à l'horizon accélérait ses battements de cœur. Maintenant, il pourrait dire à Arch qu'il avait acheté un voilier et savourer l'air stupéfait de son ami.

Avant de rentrer chez lui, il se rendit à Fishport afin de voir Doris Hawley, et cela pour plusieurs raisons.

Une fois hors des limites de Mooseville, il passa devant une ancienne usine qui avait autrefois fourni la moitié de la nation en harengs fumés et qui maintenant abritait une clinique vétérinaire, un magasin de vidéo et une laverie automatique... Plus loin, sur la grand-route, le restaurant *FOO* n'avait toujours pas retrouvé sa lettre finale, *D*, qui avait été arrachée par un de ces ouragans du Nord, deux décennies plus tôt... Ensuite venaient des hangars à bateaux, une pêcherie, un complexe d'abris dégradés par le temps et des appontements. Un silence de mort régnait sur l'ensemble lorsque les bateaux étaient sortis, dans l'attente de la bruyante activité qui régnerait au retour de la pêche... Au-delà du pont de Roaring Creek, sur la gauche, se trouvait la caravane de Magnus et Doris Hawley. Une pancarte confectionnée à la main, sur une simple plaque de contreplaqué clouée sur un pieu, indiquait « gâteaux maison ». Cela comprenait des muffins, des petits pains à la cannelle et des cookies. Mrs. Hawley arrosait le grand jardin fleuri qui entourait la caravane quand Qwilleran arriva.

— Beau jardin, Mrs. Hawley ! cria-t-il. Vous devez avoir la main verte !

— Oh ! salut, Mr. Q.

Elle ferma le robinet et laissa tomber le tuyau d'arrosage avant de préciser :

— Il a fait terriblement sec. Je ne sais pas depuis quand nous n'avons pas eu une aussi longue période de sécheresse. Que puis-je faire pour vous ?

— Vous reste-t-il des petits pains à la cannelle ?

— Un plateau ou un demi-plateau ? Ils se surgèlent facilement. Assez ! ajouta-t-elle en s'adressant au fox-terrier qui aboyait en tirant sur sa laisse.

C'était une femme à cheveux gris, un peu voûtée à la façon d'un jardinier, mais qui avait l'énergie d'une femme beaucoup plus jeune.

Quand elle entra à l'intérieur de la caravane, Qwilleran regarda vers l'arrière de la propriété et vit un banc de pique-nique sur la berge herbeuse, mais la période de sécheresse avait réduit Roaring Creek à un faible gargouillis.

— Magnus travaille-t-il sur les bateaux aujourd'hui ? demanda-t-il quand elle revint.

— Oh ! vous ne pouvez tirer cet homme hors des bateaux, dit-elle avec autant de fierté que de désapprobation. Il a soixante-dix ans et pourrait prendre sa retraite, mais que ferait-il ? Les hivers sont déjà assez pénibles. Il pêche un peu dans la glace, mais regarde surtout beaucoup trop la télévision.

— Et comment faites-vous face, vous-même, à l'hiver à Fishport ?

— Eh bien, je n'ai plus de travaux de jardin, ni de clients pour mes gâteaux, alors je lis et j'écris à mes fils au Pays d'En-Bas.

— Si je peux me permettre une suggestion, dit Qwilleran, pourquoi ne pas prendre part au projet d'alphabétisation et apprendre à lire aux adultes ? Pickax a un programme très actif dans ce domaine et j'imagine que cette communauté pourrait suivre cet exemple.

Mrs. Hawley parut stupéfaite.

— Je ne saurais pas comment m'y prendre. Je ne crois pas que j'en serais capable.

— Vous pourriez suivre des cours. Réfléchissez-y. Au fait, avez-vous appris quelque chose au sujet du jeune homme qui a disparu ?

— Rien du tout ! Les policiers sont venus deux fois poser des questions. Nous leur avons dit tout ce que nous savions. Ils se sont conduits comme si nous avions quelque chose à cacher. Cela m'a rendue nerveuse. Et quelques méchantes langues ont prétendu que mes cookies étaient empoisonnés. Je n'en ai plus vendu un seul depuis le début de ces rumeurs. Toute cette affaire m'inquiète.

— Il ne faut pas vous faire de souci, Mrs. Hawley. Ces méchantes langues se prendront à leurs propres mensonges. Quant à la police, elle est habituée à faire des investigations à sa façon. Je suis navré que votre geste de bonté ait eu un effet de boomerang.

— Vous êtes très aimable, Mr. Q. Je répéterai à Magnus ce que vous avez dit.

— A propos, connaissez-vous quelqu'un appelé Mike Zander ?

— Oh ! oui. Il est marin-pêcheur. Sa femme et lui fréquentent la même église que nous. Elle vient juste d'avoir un beau petit garçon.

— Savez-vous qu'il est artiste ? J'ai acheté une de ses sculptures.

— Tant mieux. Un peu d'argent ne leur fera pas de mal. J'ai entendu dire qu'il travaillait le métal à ses moments de loisir. Allez-vous à la parade demain, Mr. Q. ? Magnus figurera sur le char sponsorisé par les pêcheries. Je ne peux pas vous en dire davantage, car il s'agit d'une sorte de plaisanterie.

— Ces pêcheurs sont de sacrés farceurs quand ils mettent leurs idées en commun, dit Qwilleran.

— Quatre générations de notre famille feront de la

figuration, y compris ma belle-mère qui est veuve et qui est une de vos admiratrices, Mr. Q. Elle est en train de broder un canevas pour vous.

— C'est fort aimable de sa part, dit-il en s'efforçant de se montrer aussi enthousiaste qu'il le put. Que représente cette tapisserie ?

— Une devise que vous pourrez faire encadrer et accrocher au mur.

Les lecteurs assidus avaient l'habitude de lui envoyer des babioles inutiles fabriquées de leurs propres mains, et il était à porter au crédit de Qwilleran qu'il se faisait toujours un devoir de répondre par une lettre de remerciements manuscrite. Durant son enfance, il avait écrit d'innombrables lettres de remerciements aux amies de sa mère qui lui envoyaient des jouets et des livres, de trois ou quatre ans trop jeunes pour lui. Sa mère lui disait : « Jamie, il faut accepter les cadeaux dans l'esprit où ils sont faits. » A Mrs. Hawley, il déclara :

— Ah ! Ah ! Une devise ! C'est là quelque chose que je vais attendre avec impatience !

En retournant chez lui en voiture, Qwilleran se demanda ce que la veuve d'un pêcheur avait pu choisir de lui broder : *Home Sweet Home* ? *Aimez-vous les uns les autres* ? Il avait déjà vu chez des antiquaires ces paroles de sagesse brodées avec des milliers de petits points et entourées de cadres ternis. Il n'avait jamais vu : *Glisse, Kelly, glisse* ou *Les premiers seront les derniers*, ni la devise favorite de sa mère : *Garde l'œil sur le beignet et non sur le trou au centre*. Ayant grandi dans une maison, seul avec sa mère, il avait entendu ce conseil plus de mille fois. Au lieu de faire de lui un optimiste, cependant, cela l'avait surtout rendu amateur de beignets. Ce qu'il aimait vraiment était le traditionnel beignet avec une texture molle et une croûte brune toute parfumée d'huile fumante.

En conduisant, il chercha machinalement la vieille cheminée d'école avant de tourner à gauche dans la piste K. A mi-chemin de la longue route sinueuse il entendit miauler Koko. Le chat savait qu'il arrivait. Cette bruyante bienvenue signifiait que le téléphone avait sonné, ou que quelque chose avait été jeté par terre et cassé, ou que la radio avait été laissée allumée ou encore qu'il y avait eu une fuite d'eau.

— Calme-toi, mon petit vieux. Tout va bien, dit Qwilleran après avoir fait une rapide inspection des lieux, mais Koko continua à s'agiter.

Quand il sauta vers la patère à laquelle son harnais était accroché, le message devint clair : il voulait sortir se promener. Qwilleran céda. Plus tard, il nota le comportement du chat dans son journal personnel. Ce n'était pas tout à fait un journal intime, seulement un cahier à spirale sur lequel il rapportait les moments remarquables de sa vie. C'était précisément l'un de ceux-ci. Le compte rendu était intitulé : « Mooseville, mercredi 3 juillet. »

> Koko a recommencé ! Il a résolu un problème qui confondait tout le monde dans le pays. Personne en dehors de moi ne le saura jamais. Si les médias découvraient les tendances psychiques de ce chat, nous ne connaîtrions plus la paix.
>
> Voici ce qui s'est passé. Koko voulut aller se promener sur la plage, ce qui signifiait que je devais marcher en le portant sur mon épaule. De cette façon, il n'avait pas à s'enfoncer dans le sable ou à écorcher ses pattes délicates sur les galets pointus. Quel chat astucieux ! Il portait son harnais et je tenais sa laisse d'une main ferme.
>
> Depuis le début de la journée, il avait voulu sortir pour explorer la plage. Finalement, nous descendîmes l'échelle de sable et je commençai à me diriger vers l'ouest en direction de la ville, mais Koko se livra à un foin de tous les diables. Il voulait absolument aller vers l'est. Du côté de Seagull Point, pensai-je, mais nous n'avions guère avancé lorsqu'un étrange grognement

s'éleva du plus profond de son abdomen. Tout son corps se raidit, puis, impulsivement, il voulut descendre sur le sable. Tenant fermement sa laisse, je finis par obtempérer.

Eh bien, le regarder se battre avec ce sable profond aurait été comique s'il n'avait été habité par une aussi sérieuse détermination. Quand il atteignit la base de la dune et se mit à glisser et patiner, je fus tenté de lui venir en aide, mais quelque chose dans son attitude m'en empêcha. Toute cette expédition était son idée.

Quand nous arrivâmes au sommet, il grogna de plus en plus fort et se mit à creuser. Le sable volait, mais la plus grande partie retombait dans le trou qu'il provoquait. Koko refusa pourtant d'abandonner. Que recherchait-il ? Une mouette morte enterrée dans le sable ? Il creusa, creusa, et je commençais à être soupçonneux.

— Prends garde ! dis-je tout à coup en le repoussant.

Je venais de voir briller quelque chose au fond du trou. Le soleil frappait sur une chose qui scintillait. C'était le cadran d'une montre-bracelet ! Je saisis Koko sous le ventre et revins en courant au chalet.

Après avoir composé le 911, Qwilleran offrit un festin à Koko. Ils n'eurent pas à attendre longtemps. Les hommes du shérif connaissaient le chalet K : ils le surveillaient régulièrement au cours de l'hiver. Dans l'espace de quelques minutes une voiture de patrouille arriva à travers les bois et une assistante du shérif, portant un chapeau à large bord, descendit. Qwilleran vint au-devant d'elle. C'était la première femme du comté de Moose à occuper ces fonctions.

— Vous avez signalé que vous aviez trouvé un corps, dit-elle sur un ton impassible.

— En bas sur la plage, enterré dans le sable. Je vais vous montrer le chemin.

Elle le suivit, descendit l'échelle de sable et marcha le long du rivage jusqu'à l'excavation faite par Koko.

— Comment l'avez-vous découvert ?

— En me promenant sur la plage.

Elle examina le trou.

— On dirait qu'il a été creusé par un animal.

— Oui, n'est-ce pas ?

Décrochant son téléphone portable, elle appela le poste de la police d'État et Qwilleran dit qu'il allait retourner au chalet et dirigerait vers elle ceux qui se présenteraient.

Au cours de la demi-heure suivante, la clairière devant le chalet fut remplie de véhicules. Qwilleran accueillit tout le monde et indiqua l'échelle de sable. Autrement il se tint à l'écart.

Tout d'abord, il y eut la voiture de la police d'État avec deux officiers.

Ensuite vinrent l'ambulance et l'équipe de sauvetage avec des pelles et une civière.

Puis arriva un autre véhicule du shérif avec deux passagers sur le siège arrière. Doris et Magnus Hawley furent escortés jusqu'à l'échelle de sable par un assistant.

Peu après, un hélicoptère venant de Pickax atterrit sur le sable durci près de l'eau. Ce devait être l'équipe médicale, présuma Qwilleran.

De façon inattendue, un pick-up bleu vint livrer la traverse et la sculpture en cuivre.

— Hé ! Que se passe-t-il ? demanda Kenneth.

— Un exercice de sauvetage. Je suis chargé de garder la voie libre. Aussi déchargez ces objets et repartez tout de suite, répondit Qwilleran.

— Hé, ce chalet est super ! Est-il très vieux ?

— Je ne le sais pas, dit Qwilleran. Je prends la sculpture. Portez la traverse de l'autre côté, vers le lac, et déposez-la sous le porche. Venez, je vais vous montrer le chemin.

Après quelques essais, Kenneth installa la traverse dans la partie la plus au nord du porche.

— Hé ! Vous avez une sacrée vue d'ici !

— Oui. La sortie est par là...
— Est-ce que ce sont là... des chats ?
— Oui. Venez, Kenneth. Cet exercice est minuté à la seconde près... Filez au pas de charge !
Qwilleran le remit sur le chemin de la piste juste au moment où l'assistant du shérif, escortant les Hawley, remontait par l'échelle de sable. Qwilleran s'enferma à l'intérieur. Ils partirent. Puis l'ambulance s'en alla. L'hélicoptère reprit l'air, emportant un corps dans un sac bleu sur une civière. Quand la police d'État se fut éloignée, il ne resta plus que l'assistante Greenleaf et Qwilleran sortit pour la jauger. Bien qu'elle ne fût pas laide, elle gardait un visage de marbre, un masque qui semblait aller de fait avec le chapeau à large bord porté par les assistants de shérif.
Après un bref regard dans sa direction, elle sortit un carnet et dit :
— Vous devez être Mr. Q.
— Oui, mais êtes-vous au courant de mes accords avec la police ?
— Nous ne divulguons pas votre nom.
— C'est exact. Vous devez être l'assistante du shérif Greenleaf.
Il avait lu dans le journal que l'on avait besoin qu'un assistant du shérif soit une femme pour escorter les prisonnières au centre de détention du comté de Bixby.
— Heureux de vous voir dans ce service.
Elle hocha la tête et les glands de son chapeau s'agitèrent.

Maintenant Qwilleran savait pourquoi Koko était resté debout toute la nuit. Il savait ce qu'il y avait sur la plage. S'il n'avait pas réclamé cette sortie sur le rivage... s'il n'avait pas insisté pour se diriger vers l'est au lieu de l'ouest... s'il ne s'était pas mis à creuser dans cet endroit particulier, le mystère du randonneur serait resté sans solution. La plupart des chats possèdent un sixième sens, mais la perception de Koko sur ce qui était bien ou ce qui était mal allait au-delà des intérêts félins. Il avait l'intuition des réponses aux questions qui déroutaient les humains et trouvait des moyens pour communiquer ses découvertes. Qwilleran ne pouvait attribuer ses talents particuliers qu'à ses magnifiques vibrisses. Yom Yom possédait les habituelles quarante-huit vibrisses. Koko en avait soixante.

Qwilleran avait ses raisons pour garder le silence sur les dons singuliers de Koko et ses propres implications, et il fut soulagé en écoutant le bulletin d'information de six heures à la radio WPKX :

« Agissant sur des renseignements fournis par un promeneur, le bureau du shérif a trouvé aujourd'hui le corps du randonneur disparu depuis vendredi. Il était enseveli dans le sable près de Mooseville. Le défunt a été reconnu par Magnus et Doris Hawley comme le randonneur qui avait frappé à leur porte pour demander l'autorisation de camper sur leur propriété. Selon le porte-parole du shérif, la cause de la mort n'a pas été déterminée. L'identification a été faite grâce aux papiers trouvés sur le corps, mais ne sera pas révélée avant que la famille ait été informée. Le défunt n'appartient pas à la région des trois comtés. »

Les autochtones se sentaient toujours mieux, quand la victime d'un accident ou d'un crime n'était pas de leur comté.

Arch Riker serait furieux, Qwilleran le savait, parce que la nouvelle avait été annoncée à la radio, et que le *Quelque Chose* ne pourrait couvrir le sujet avant vendredi, aucun journal n'étant publié pendant les jours fériés.

Qwilleran lui-même était satisfait de la façon dont les choses avaient tourné et proposa de récompenser les siamois par une séance de lecture à haute voix. Ils appréciaient toujours le son de sa voix et lui-même y prenait plaisir. Il suggéra *Loin de la foule déchaînée*.

— Cela va vous plaire, leur assura-t-il. C'est sur les moutons et les vaches. Il y a aussi un chien appelé George et un chat qui joue un rôle mineur.

Ses lectures aux siamois étaient toujours dramatisées par des effets sonores. Son entraînement théâtral au collège avait fait de lui un expert pour bêler, aboyer, miauler — s'il n'y avait rien d'autre — et les chats appréciaient particulièrement les meuglements du bétail. Il les exécutait sur deux notes : Meu-heu, comme une corne de brume. Lorsqu'il meuglait, ils le regardaient avec une expression signifiant « refais-le-nous » au fond de leurs yeux bleus et il s'exécutait volontiers. Pour dire la vérité, il aimait meugler.

Après la lecture, il déballa le voilier livré par Kenneth. Yom Yom proposa aussitôt de l'aider. Elle portait un intérêt particulier à tous les objets brillants, aux boîtes en bristol et aux papiers froissés, or le carton était bourré de feuilles chiffonnées du *Quelque Chose du Comté de Moose*.

Le voilier paraissait plus grand qu'à la boutique au milieu des autres objets. Il mesurait environ trente-cinq centimètres de haut et était constitué d'une seule feuille de cuivre qui avait été traitée pour garder sa couleur et son brillant. Le voilier scintillait à la lumière venant des lucarnes. Les voiles, inclinées sous un angle réaliste, jouaient avec la lumière et donnaient une autre dimension à la sculpture. Pour stabiliser cet objet léger, il y avait une épaisse base en bois, taillée pour suggérer des vagues avec la quille sculptée dans la masse. C'était une œuvre d'art intéressante et plaisante à l'œil.

Qwilleran la porta sous le porche, pour découvrir que Koko avait pris possession du piédestal, où il posait dans l'attitude d'un chat de l'Égypte ancienne.

— Saute de là, dit étourdiment Qwilleran, sachant

pertinemment que Koko ne sautait jamais quand on lui disait de le faire.

Alors il laissa le voilier sur la table et partit écrire son journal.

Depuis longtemps il désırait tenir un journal. Un jour il écrirait peut-être ses Mémoires. Il aurait dû commencer plus jeune, mais il avait été trop occupé à grandir, à jouer au base-ball, à faire du théâtre, à jeter sa gourme, à découvrir l'éthique du travail, à hanter les clubs de la presse et à commettre des fautes menaçant sa vie. Maintenant enfin il était un journaliste tenant son journal personnel.

CHAPITRE IV

Il était prévu que la parade du 4 Juillet débuterait à une heure de l'après-midi et Qwilleran se présenta tôt pour examiner les alentours. N'ayant jamais participé à une parade, il était curieux de voir les préparatifs. Il pensait que ce devait être un chef-d'œuvre d'organisation et il ne se trompait pas.

Le lieu où tout se mettait en place était en dehors des limites de la ville ; les unités de la parade s'étaient vu assigner des places de parking particulières et pour certaines le plein champ.

Les groupes qui défilaient à pied étaient placés près du point de départ, les unités motorisées en étaient les plus éloignées, ce qui était logique. Entre les deux, installés sur le parking du restaurant *FOO*, se trouvaient les cyclistes. Ils formaient une troupe colorée. Qwilleran lui-même portait un short blanc, un T-shirt rayé bleu et blanc et une casquette de base-ball rouge. Il y avait des bicyclettes de cyclo-cross, des bicyclettes de randonnée, de nombreux vélos de course et même une vieille bicyclette démodée à grande roue. Il laissa son propre vélo couché dans sa camionnette et partit faire de l'exploration avec son appareil photographique suspendu autour du cou.

Ce furent les chars qui l'intéressèrent le plus. Ils

étaient cinq, alignés sur la grand-route — des semi-remorques avec un plateau entouré de bandes de trois couleurs et des bannières permettant de les identifier : « La Signature de la déclaration d'Indépendance », « L'École du Bon Vieux Temps », « Les Amis de la laine ». Un voilier de plus de sept mètres sur un chariot, appelé *Smooth Sailing*, était sponsorisé par les différentes marinas privées ; ses voiles étaient pliées et le pont rempli de jeunes personnes portant des maillots de bain fort réduits. Le cinquième char était celui que Mrs. Hawley avait mentionné. Il était intitulé « Nourrir les poulets ». Trois pêcheurs professionnels en ciré, bottes et gants de caoutchouc riaient et faisaient les clowns en attendant le signal de départ. Sur le plateau se trouvaient deux tonneaux, une vieille table et un tas de boîtes en bois.

Qwilleran salua Magnus Hawley et lui demanda :

— Expliquez-moi ce que signifie le nom de votre char.

— Eh bien, voyez-vous, dès qu'on commencera à rouler, on se mettra à nettoyer les poissons qui sont dans les boîtes et on jettera les têtes et les boyaux dans les tonneaux. C'est alors que les mouettes surgiront. Des poulets, qu'on les appelle ! Il en viendra d'abord deux ou trois, puis toute une troupe qui nous suivra tout le long de la route pour essayer d'attraper les têtes de poissons avant même qu'elles aient touché le baril. Pouvez être sûr qu'avant la fin du défilé il y en aura plus de cent !

Il éclata d'un rire tonitruant et conclut :

— Quel spectacle on va donner !

Comme l'heure de la parade approchait, le starter officiel, portant un chapeau haut de forme tricolore, se mit à aller et venir sur la grand-route, en agitant les bras et en criant. Ses assistants, arborant une écharpe et une casquette de base-ball tricolores, contrôlaient tous les groupes. Près de là se trouvait la voiture du shérif, qui précéderait la parade en roulant au ralenti afin de faire dégager la route et reculer la foule sur les bas-côtés. L'adjointe Greenleaf était au volant. Le gardien des couleurs se tenait solennellement dans la position repos, tandis que les porte-drapeaux, flanqués des membres de la police militaire, brandissaient leurs fusils.

Très en vue se tenait Andrew Brodie, le chef de la police de Pickax. En tant que maître des cérémonies, le joueur de cornemuse écossais conduirait la parade avec tous les insignes des Highlands. Il était très grand dans n'importe quel uniforme, mais devenait un géant quand il portait le haut bonnet à plume et son plaid écossais sur l'épaule, les bras chargés des tuyaux de sa cornemuse.

Une véritable excitation régnait dans chaque unité en formation de marche. En plus des deux fanfares il y avait trois groupes impatients : la Parade des animaux familiers, la Parade des mamans et les Athlètes pour la paix. Pour ajouter à la confusion générale, l'orchestre du lycée s'exerçait — aucun musicien n'exécutant le même air — tandis que les élèves plus jeunes s'entraînaient au fifre et au tambour. Des parents nerveux mettaient en garde les enfants qui prenaient part au défilé avec les chiens, les chats en laisse ou traînés sur des chariots miniatures. Des mères essayaient de calmer les tout petits qui défileraient dans des poussettes ou des voitures d'enfants, en sac à dos et même dans des brouettes.

Quant aux Athlètes pour la paix, leur lieu de rassemblement ressemblait à un asile de fous. Des jeunes gens, portant chacune une grande lettre de l'alphabet en haut d'une perche, couraient dans un état d'hystérie, criant et riant comme des fous. Ils avaient découvert qu'en mélangeant leurs lettres ils pouvaient écrire CHEAT, SHOOT, TREASON[1], et pire encore ! Le coach chargé de ce groupe sifflait et hurlait dans le désert.

Le starter officiel devenait frénétique. La voiture du shérif, le maître de cérémonie et le gardien des couleurs étaient en rang. Le premier char se préparait à démarrer avec ses sérieux hommes d'État en perruques et culottes, mais les athlètes devenaient incontrôlables.

— Qu'allons-nous faire ? cria le starter à ses assistants. Devons-nous les éliminer ?

A ce moment-là deux coups de pistolet retentirent. Ils eurent un effet de paralysie générale. Tout s'arrêta. Personne ne bougeait. Le silence était lourd de questions informulées.

Puis le coach donna un coup de sifflet.

— Allez-y !

La voiture du shérif démarra. Après l'avoir laissée avancer d'une cinquantaine de mètres, le joueur de cornemuse commença à interpréter, sur un lent tempo balancé et avec des sons aigus, l'hymne national. Le gardien des couleurs se mit en position.

Personne ne demanda qui avait tiré les deux coups de pistolet, mais Qwilleran avait son idée.

Une par une, les unités s'ébranlèrent en bon ordre, avec les chars, les formations à pied et les musiciens se succédant alternativement.

En attendant la mise en route des cyclistes, Qwilleran regarda passer les Amis de la laine. Le berger se tenait au milieu d'un troupeau de moutons et d'agneaux et jouait de la flûte. Deux fileuses, vêtues du costume des pionniers, étaient assises sur des chaises anciennes et actionnaient leur rouet. Six chaises similaires étaient installées dos à dos,

1. C'est-à-dire : escroc, shoot, trahison. *(N.d.T.)*

occupées par les tricoteurs : quatre femmes et deux hommes.

Finalement, la Parade des cyclistes reçut le signal de départ. Le premier à s'élancer fut le cycliste sur la bicyclette à grande roue, suivi par des rangées bien ordonnées de vélos sur lesquels pédalaient des hommes et des femmes, des fillettes et de jeunes garçons portant des casques de couleur. Fermant la marche se trouvait l'homme le plus éminent du comté, allongé dans un siège baquet avec les pieds surélevés. Tout le monde reconnut la moustache et ce fut sous des applaudissements frénétiques, des cris d'encouragement et des sifflets d'enthousiasme que Qwilleran, grâce à son entraînement théâtral, pédala avec une froide détermination.

Les spectateurs envahirent la route et suivirent ce vélo couché, véritable Pied Piper[1] sur roues. Leurs acclamations allaient-elles à la bicyclette, à la célèbre moustache ou à l'homme derrière le Fonds K ? Nul n'aurait pu le dire.

Le lieu de dislocation de la parade était le parking du lycée, de l'autre côté de la ville, et quand Qwilleran arriva, il trouva un véritable encombrement. Les chars étaient répandus pêle-mêle. Les familles arrivaient pour récupérer les athlètes, les musiciens, les mamans, les animaux familiers et les jeunes beautés en maillot. Deux cars scolaires attendaient pour transporter le personnel des chars jusqu'à leurs véhicules de l'autre côté de la ville. Un camion du ranch de moutons Ogilvie ramassait les moutons, les fuseaux et les chaises anciennes.

Qwilleran saisit Mildred par le bras juste au moment où elle montait dans l'autobus.

1. Le joueur de flûte de Hamelin, célèbre légende allemande reprise par Robert Browning. *(N.d.T.)*

— Vous m'avez entraîné dans tout ceci, maintenant il faut m'en sortir !

— Quel est le problème, Qwill ?

— Je ne peux pas monter dans l'autobus avec ma bicyclette, ni la laisser là. Prenez mes clefs de voiture et revenez me chercher. C'est une camionnette marron, garée dans le parking du *FOO*.

Elle prit les clefs et demanda :

— Qu'avez-vous pensé de notre char ?

— Les agneaux semblaient charmants, le berger paraissait plus vrai que nature, les moutons étaient gras et laineux... quant à votre mari, si vous me permettez de vous le dire, il avait l'air... penaud.

— Je vous ai entendu, espèce de faux frère ! cria Arch. Je ne me serais jamais trouvé là si vous ne m'y aviez pas contraint !

Le conducteur de l'autobus klaxonna :

— Allons, les gars, montez, nous devons circuler.

Qwilleran avait invité Andrew Brodie à s'arrêter au chalet pour boire un verre après la parade, et le chef de la police avait dit :

— Disons à quatre heures. Je dois faire une apparition au barbecue chez des parents à Black Creek.

A quatre heures, Qwilleran avait installé un plateau de boissons sous le porche avec du gorgonzola et des crackers.

— Comment était-ce ? demanda-t-il quand son invité arriva en bougonnant.

— Tout ce qu'il y avait à boire était du thé glacé ! Je leur ai joué un air et j'ai mangé un sandwich, après quoi je me suis esquivé.

— Vous êtes venu au bon endroit, Andy. Il se trouve que j'ai de l'excellent whisky écossais pur malt et du fromage délectable.

Brodie portait toujours son costume de joueur de cornemuse, à l'exception de son bonnet à plume et du plaid sur l'épaule. Perchée sur un œil, il arborait une sorte de casquette militaire bleu marine avec un pompon rouge, une cocarde et deux rubans qui pendaient derrière.

— C'est un Glengarry, expliqua-t-il en écartant d'un geste les compliments de Qwilleran.

Il frappa sur sa tempe gauche et ajouta :

— Voici le badge de mon clan.

Ils sortirent sous le porche vitré où Koko était assis sur le piédestal et où Yom Yom chassait les insectes qui s'écrasaient sur la vitre. Quand Brodie vint s'asseoir, cependant, elle s'avança pour inspecter ses grosses chaussures, ses genoux nus et ses curieuses jarretières. Puis elle se dressa sur ses pattes de derrière pour voir en quoi consistait le kilt.

— Elle est désorientée, expliqua Qwilleran. N'êtes-vous pas le visiteur qui a l'habitude de porter un pantalon et un insigne en métal brillant ?

— Où avez-vous trouvé ce navire ?

— C'est Mike Zander qui l'a fabriqué. C'est un pêcheur.

— Bien sûr. Je connais les Zander. Lorsque j'étais assistant de shérif, ils étaient sur ma ronde. Votre gars doit être Mike Junior. Chaque fois que je rencontre Mike Senior, nous rions en nous souvenant d'une scène qui s'est passée il y a plusieurs années. C'était un samedi et les bateaux venaient juste de rentrer. Des vacanciers achetaient du poisson sur lc quai. Une grosse bonne femme du Pays d'En-Bas regarda les poissons — certains sautaient encore dans les paniers — et demanda d'une voix arrogante : « Êtes-vous sûrs qu'ils soient bien frais ? » L'équipage se mit à rire si fort qu'elle partit sans demander son reste !

— Ces gens aiment rire, dit Qwilleran. Leur char prétendant nourrir les poulets a fait fuir tout le monde !

— Il faisait une belle journée pour la parade, mais ce qu'il faudrait maintenant, c'est un peu de pluie.

— Vous devez admettre cependant que cette période de sécheresse a un côté positif sur le front des moustiques !

— Je me souviens d'une année où le conseil municipal a fait venir des colonies de chauves-souris pour se débarrasser des moustiques. Ils décimaient également les touristes !

— Laissez-moi vous resservir, Andy, dit Qwilleran.

— Je crois que je peux en prendre encore une goutte.

Yom Yom suivit Qwilleran à l'intérieur pour boire de l'eau et le regarda d'une façon tellement implorante qu'il lui donna une croûte de gorgonzola. Quand il revint sous le porche, Brodie se tenait devant l'échelle de sable.

— Votre plage est très différente cette année, dit-il. Qu'est-ce que ce cercle brun ?

— Des intrus sont apparemment venus faire un feu de joie, dit Qwilleran. Au moins, ils n'ont pas laissé traîner de bouteilles de bière vides, disons-le à leur crédit.

Brodie regarda attentivement Qwilleran.

— J'ai appris que c'est vous qui avez trouvé le corps sur la plage.

— Eh bien... à vrai dire... oui.

Il s'abstint de mentionner l'implication de Koko. Brodie avait entendu parler des exploits du chat par un détective du Pays d'En-Bas, mais il n'y croyait qu'à moitié et à contrecœur. Cependant, lui et le procureur appréciaient l'intérêt de Qwilleran dans certaines affaires et tenaient compte de ses avis. Ils respectaient aussi son insistance à garder l'anonymat. Brodie, quant à lui, n'hésitait pas à se livrer à quelques confidences si celles-ci pouvaient apporter une aide aux enquêtes officieuses de Qwilleran. Peu à peu, une confiance mutuelle s'était établie entre les deux hommes.

Ils restèrent assis en silence pendant un moment, pensant probablement à la même chose. Puis Qwilleran demanda :

— A-t-on pu identifier le randonneur ?

— Oh, bien sûr ! Il avait une carte d'identité sur lui. Une adresse à Philadelphie. Il était âgé de vingt-cinq ans. Pas de nom de sa proche famille, mais le nom et le numéro de téléphone d'une femme.

— Homicide ou mort naturelle ?

— L'homicide n'a pas été formellement écarté. Le coroner n'a pu déterminer la cause de la mort. Le corps a été expédié au laboratoire médico-légal.

— C'est étrange.

— Plus étrange que vous ne le pensez. Tout indique que l'heure de la mort se situe vers minuit vendredi dernier, quelques heures après qu'il a rendu visite aux Hawley, mais...

Brodie fit une pause indécise.

— Il n'y avait pas de décomposition. Presque comme s'il avait été embaumé. Et il était mort depuis quatre jours.

— Vous devriez réduire la boisson, Andy !

— C'est la pure vérité.

— Quelqu'un a-t-il une théorie ?

— Si c'est le cas, personne n'en a soufflé mot. La police d'État garde le silence... Tout ceci entre nous, naturellement.

— Bien entendu.

— Et maintenant je dois m'en aller. Merci pour le rafraîchissement.

Ils traversèrent le chalet. Brodie chercha son Glengarry.

— Je croyais l'avoir laissé sur le dossier du divan.

Ils regardèrent derrière les coussins du canapé et

dans d'autres endroits où le béret aurait pu glisser. Puis Qwilleran remarqua Yom Yom assise sur la table avec un air coupable.

— Elle est attirée par les objets petits et brillants, Andy. Elle a dû chiper votre badge de clan ! Laissez-moi regarder sous le divan.

Avec l'aide d'un tisonnier, il ramassa une chaussette brune, un crayon jaune et la casquette d'Andy. Qwilleran offrit de la brosser.

— Inutile, je vais la secouer.

Qwilleran l'accompagna jusqu'à sa voiture en disant :

— Vous souvenez-vous des deux coups de pistolet que l'on a entendus juste avant le départ de la parade ? A-t-on découvert qui les avait tirés ?

— Non.

— A-t-on cherché ?

— Non. Ça a marché, n'est-ce pas ?... Combien de temps comptez-vous rester ici ?

— Environ un mois.

— Nous garderons un œil sur votre grange.

Après le départ de Brodie, Qwilleran prit une décision : Koko n'abandonnerait jamais la traverse ; c'était son piédestal, son perchoir, sa position éminente de plein droit. La sculpture du bateau en cuivre devrait aller sur le manteau de la cheminée.

Tard cette nuit-là, tous les trois étaient assis sous le porche dans l'obscurité. Koko regardait les constellations de son planétarium privé, Yom Yom était fascinée par les lucioles et Qwilleran ruminait ses propres pensées. La remarque de Brodie sur l'état du corps du randonneur piquait sa curiosité. Demain il irait en voiture à Fishport acheter quelques gâteaux à Mrs. Hawley, il exprimerait son soulagement de savoir que le sort du jeune homme était connu et découvrirait ce qu'elle et Magnus avaient ressenti en identifiant le corps.

CHAPITRE V

Ce vendredi était jour de gala à Mooseville, car les vacanciers et les autochtones attendaient la soirée d'ouverture du théâtre de la grange. Qwilleran avait promis d'écrire une critique de la pièce et devait dîner pour la première fois à *Owen's Place*. Il aurait souhaité que Polly fût avec lui.

En attendant, il lui fallait terminer une chronique pour « la Plume de Qwill » et la porter à la banque pour la faxer avant midi. Il trouva dans la Grande-Rue la foule d'un week-end de vacances. Les estivants s'aventuraient dans les rues de traverse, regardaient les vitrines, mangeaient des cornets de glace et étaient attirés par les bords du lac. L'eau clapotait contre les pilotis, les bateaux se balançaient doucement contre les quais, les mouettes volaient en criant pour attraper des croûtes de pain dans leur envol.

Ensuite son emploi du temps comprenait une visite à Fishport. Qu'aurait à dire Doris Hawley sur le sinistre devoir d'identification du jeune randonneur ? Dès qu'il eut traversé le pont de Roaring Creek, cependant, il se rendit compte que ce n'était pas le bon moment pour poser des questions indiscrètes sur l'état du corps. Deux voitures de police étaient garées dans l'allée, l'une du bureau du shérif et l'autre de la police d'État. De plus, le panneau sur la pelouse était couvert d'un sac, signe qu'il n'y avait rien à vendre. Il fit demi-tour et revint à Mooseville.

Il s'arrêta au bureau de poste et trouva d'autres cartes postales de Polly. En la conduisant à l'aéroport, il s'était plaint qu'elle ne gardait jamais le contact avec lui pendant les vacances. Elle avait répondu par un sourire énigmatique qu'elle allait remédier à cette situation. Ce qui se traduisait par l'envoi de six cartes postales par semaine. Une sorte de jeu à qui perd gagne.

Dans le hall de la poste il vit une jeune femme qu'il connaissait ouvrir une boîte postale et sortir des poignées de lettres qu'elle rangea dans un grand sac fourre-tout.

— Que faites-vous là ? demanda-t-il. Ne devriez-vous pas être à la maison avec vos marmots autour de la table de cuisine ?

C'était Sharon Hanstable — ronde, joviale et d'une beauté saine —, version plus jeune de sa mère, Mildred Riker. Elle était aussi l'épouse de Roger MacGillivray, journaliste au *Quelque Chose du Comté de Moose*.

— Je travaille à mi-temps au *Motel de la Grande Dune*, expliqua-t-elle, et Roger garde les enfants à la maison aujourd'hui. Il travaille par roulement au journal pendant le week-end afin d'avoir deux jours de libre par semaine.

Les deux parents étaient d'anciens professeurs. Après avoir abandonné sa carrière pour élever ses enfants, Sharon prenait systématiquement des emplois périodiques à mi-temps, comme caissière, aide-cuisinière ou vendeuse. C'était là un des aspects de la vie dans une petite ville qui étonnait encore Qwilleran.

— Si vous vous rendez à votre travail, dit-il, je vous accompagne pour porter votre courrier. Êtes-vous toujours aussi enthousiaste sur l'école à la maison ? demanda-t-il tandis qu'ils se dirigeaient vers Sandpit Road.

— C'est un gros travail et une sérieuse responsabilité, mais aussi un défi et une joie, répondit-elle. Nous passons davantage de temps avec nos enfants et de façon plus positive. Aimeriez-vous assister à une leçon un après-midi, Qwill ?

— Non, merci. Je vous crois sur parole.

— Maman prend la relève une fois de temps en temps afin que Roger et moi puissions sortir.

— Votre mère est, elle aussi, un ancien professeur. De plus, elle a un cœur d'or et la patience d'une sainte. Elle aime probablement beaucoup être grand-mère.

Ils s'étaient frayé un passage au milieu de la circulation très dense de piétons de la Grand-Rue et descendaient Sandpit Road. Sharon demanda :

— Avez-vous appris que l'on a trouvé le randonneur disparu ? C'est dans le journal d'aujourd'hui. Roger s'occupe de cette affaire depuis mercredi et il a appris que le corps avait été envoyé au médecin légiste, bien que l'information n'ait pas été diffusée. Il y a quelque chose de bizarre dans cette mort.

Elle baissa la voix :

— Mère, Roger et moi pensons que cela a un rapport avec les Visiteurs de l'espace.

— Oh ! vraiment ? murmura-t-il.

— N'en parlez pas à Arch. Vous savez comment il est. Ne pourriez-vous m'aider à mettre un peu de bon sens dans sa tête, Qwill ?

— Je doute être bien l'homme de la situation, dit Qwilleran avec tact. Comment expliquez-vous tout cela à vos jeunes ?

— Nous leur disons que l'univers a de la place pour beaucoup d'autres mondes, certains abritant une vie intelligente. Les *aliens* sont aussi curieux de notre planète que nous le sommes d'aller sur Mars ou au-delà.

— Vos gamins ont-ils jamais vu certains de ces... Visiteurs ?

— Non. Nous sommes loin du lac et nous ne veillons jamais tard. Mère dit que deux heures du matin est le meilleur moment pour regarder.

Ils étaient arrivés au *Motel de la Grande Dune* et il lui rendit son gros sac.

— Êtes-vous allée déjeuner à *Owen's Place* ?

— C'est trop cher. J'emporte mon repas et d'autre part mon patron est fâché parce qu'ils se sont installés à l'*Hôtel des Lumières du Nord* au lieu de venir chez lui.

L'*Owen's Place* se dressait seul sur le côté ouest de la grand-route, bien que son revêtement en cèdre tacheté s'harmonisât avec le motel, la boutique d'antiquités, la cuisine américaine et d'autres entreprises du côté est. L'établissement avait été une laverie automatique pendant plusieurs saisons avant de devenir un restaurant chinois qui ne connut pas le succès. Maintenant, les anciens rideaux de velours rouge ornant les larges bow-windows de la période *bok choy* avaient été remplacés par des persiennes blanches. Avec le parking pavé et la Grande Dune en toile de fond, l'endroit était très élégant et Qwilleran attendait avec impatience d'aller y dîner avant de se rendre au théâtre.

La chambre de commerce devait avoir offert à Bowen un contrat avantageux, pensa Qwilleran. Sinon, pourquoi un homme méprisant à ce point les ruraux aurait-il choisi de passer l'été à six cents kilomètres au nord de partout ? Certes, le lac offrait un attrait pour lui puisqu'il possédait un bateau. On voyait du reste un camping-car avec une remorque de bateau ainsi qu'une voiture décapotable blanche derrière le parking. Les deux véhicules portaient des plaques d'immatriculation de Floride.

En retournant dans la Grand-Rue, Qwilleran passa

devant le magasin d'antiquités d'Arnold et s'arrêta net. Là, dans la vitrine, se trouvait le genre de fragile chaise ancienne à haut dossier qu'il avait vue sur le plateau du char avec les moutons. C'était une chaise originale qui éveilla sa curiosité. Il entra dans la boutique. Il y avait plusieurs clients, acheteurs ou simples curieux. D'après leurs vêtements et leurs manières, Qwilleran les étiqueta campeurs, ou épouses de pêcheurs en vacances, ou encore navigateurs du Grand Island Club qui venaient de déjeuner à *Owen's Place*.

Ces derniers ne tarissaient pas d'éloges sur le chef, la quiche et les brochettes de pommes de terre ainsi que sur « l'amour de maître d'hôtel ». Arnold lui-même était partout à la fois. C'était un homme sans âge avec une infatigable énergie, mais il avait un visage ridé qui ressemblait aux vieilles sculptures sur bois qu'il vendait. Regardant au-dessus de ses lunettes sans monture, il dépistait les simples curieux des clients potentiels et gardait l'œil sur les premiers.

Un chien blanc et noir à poils longs agita sa queue en panache en direction de Qwilleran qui le caressa :

— Bon chien ! Bon chien ! dit-il.

— Salut, Mr. Q. Aimez-vous notre cabot ? Il est juste arrivé comme ça un beau jour et c'est un chien très amical. Il attire plus de clients au magasin qu'une publicité dans le journal.

— Comment s'appelle-t-il ?

— Eh bien, voyez-vous, nous avons acheté un tas de chinoiseries y compris un plat pour chien avec le mot Phreddie écrit dessus, alors nous avons donné au chien ce nom pour aller avec le plat... Excusez-moi.

Arnold alla encaisser l'achat d'un client. Celui-ci venait de se rendre acquéreur d'une roue en fer rouillée d'environ un mètre trente de diamètre, mais délicate dans ses proportions et comportant seize fins rayons.

— Beau travail de rouille, doux comme du miel, dit le marchand à l'acheteur. Cette roue a écrasé beaucoup de blé en son temps.

En attendant, Qwilleran fourrageait dans des paniers contenant des têtes de flèches, des balles de la guerre de Sécession et de vieilles pièces de monnaie anglaises.

— Qu'est-ce que ce gars va faire de cette roue ? demanda-t-il un peu plus tard à Arnold.

— Il va la suspendre au-dessus de la cheminée de sa maison de Grand Island.

— Hum... J'aimerais assez en avoir une moi-même.

Il pensait à la partie supérieure de sa cheminée, un grand mur nu qui, à l'origine, avait été orné d'une tête d'élan dont l'expression austère avait été un reproche permanent aux droits des animaux. Plus tard, le mur avait été décoré d'une vitrine abritant une collection d'outils de bûcheron : haches, grappin, scies passe-partout avec de menaçantes dents de cinq centimètres — spectacle tout aussi déprimant. Mais une roue ornementale, d'un autre côté...

— Il y en avait deux, provenant probablement d'une moissonneuse, dit Arnold. L'autre est dans mon magasin de Lockmaster. Je peux me la faire expédier, mais cela prendra deux ou trois jours.

— Je ne suis pas pressé. J'aimerais aussi vous poser des questions sur cette chaise qui est en vitrine. D'où vient-elle ? Il y en avait huit semblables sur un char à la parade, hier.

— C'est une chaise de salle à manger à dos galbé, des environs de 1900, considérée parfois comme une chaise de cuisine. A la campagne on mangeait surtout dans la cuisine. Aux alentours de 1904, le catalogue de Sears offrait cette chaise pour quatre-vingt-quatorze *cents*. Oui, vous avez bien entendu ! Quatre-vingt-quatorze *cents* ! Ils ont dû en vendre des millions !... Un assez joli modèle, n'est-ce pas ?

— Cette chaise a quelque chose de débonnaire, dit Qwilleran.

Elle était en chêne doré, lourdement vernie, avec un siège canné, neuf fuseaux façonnés, presque aussi minces que des crayons, et une barre épaisse pour dossier, avec un dessin décoratif. Deux fleurons retournés sur le dessus, comme des oreilles, ajoutaient une note fantaisiste et donnaient l'impression qu'elle serait facile à manipuler.

Le marchand poursuivit :

— Celle-ci doit être la copie d'un modèle plus élaboré et plus coûteux avec le haut sculpté. Toutes celles que j'ai vues par ici sont de la série à quatre-vingt-quatorze *cents*. Le siège a été canné à nouveau. Je vous ferai un bon prix si vous êtes intéressé.

— Je vais y réfléchir, dit Qwilleran, ce qui signifiait qu'il n'avait aucune intention de l'acheter. Mais je reviendrai pour cette roue dans deux ou trois jours. Que savez-vous du restaurant de l'autre côté de la route ? ajouta-t-il tandis qu'Arnold le raccompagnait jusqu'à la porte.

— J'ai entendu dire que la cuisine était bonne.

— Avez-vous eu des contacts avec Owen Bowen ?

— Seulement par l'intermédiaire de Derek. Il y travaille à mi-temps, vous savez, et il disait que l'entrée — où les clients attendent leur table — était un peu vide. Nous en avons discuté et je leur ai prêté certains objets décoratifs pour les mois d'été : du cristal de Waterford dans un cabinet chinois éclairé. Nous l'avons fait venir de notre magasin de Lockmaster et ce malotrus de Floride n'a pas seulement décroché le téléphone pour dire merci, sans parler de nous envoyer une part de tarte ! Phreddie a de meilleures manières que cet Owen Bowen !

La montre de Qwilleran lui apprit que l'heure du

déjeuner était passée à *Owen's Place* et son intuition lui dit que Derek devait être en route pour le magasin d'Elizabeth afin de se reposer et de lui rapporter les dernières nouvelles. Il prit lui-même cette direction et s'arrêta seulement pour manger un hot-dog et acheter deux exemplaires du *Quelque Chose du Comté de Moose*. Chemin faisant, il pensa qu'il pourrait se livrer à un recensement de ces vieilles chaises du comté de Moose. Il suffirait de publier une photographie de celle d'Arnold et de demander : « Possédez-vous une de ces chaises d'un modèle historique ? Répondez par carte postale. » Arch Riker se moquait de ses manies de solliciter des réponses par cartes postales et cependant il savait que les abonnés les attendaient avec impatience et en parlaient entre eux dans tout le comté.

Dans Oak Street, il y avait trois vitrines contiguës, chacune avec des bacs de pétunias, celle d'Elizabeth était au centre, flanquée par une agence immobilière et un coiffeur pour dames. Quand Qwilleran ouvrit la porte, une clochette tinta au-dessus de sa tête et trois personnes se tournèrent dans sa direction : Elizabeth et deux clientes d'un certain âge, l'une très grande et l'autre petite. Elles avaient été ses voisines au Village Indien.

— Mesdames, qu'est-ce qui vous amène dans l'antre du canard sauvage et du héron ? demanda-t-il.

Elles l'accueillirent gaiement.

— C'est de Tennyson, dit la plus grande.

— Mon poème favori : *Le Ruisseau*, dit l'autre.

C'étaient les sœurs Cavendish, retraitées de l'instruction publique du Pays d'En-Bas. Qwilleran avait sauvé un de leurs chats qui s'était emberlificoté dans les tuyaux d'une machine à laver.

— J'ai appris que vous viviez au complexe Ittibittiwassee, dit-il.

— Oui. On nous a attribué un appartement nous permettant de garder nos chats.

— Nous n'allons jamais nulle part sans Pinky et Quinky.

— Nous sommes venues ici pour voir la représentation théâtrale, ce soir.

— Nous disposons d'un autobus qui transporte les résidents pour les déplacements d'une journée.

— Comment va Koko ?

— Et comment se porte cette chère petite Yom Yom ?

— Ils trouvent la plage stimulante, dit-il, et le porche est leur université. Koko étudie les constellations, la nuit, et fait une étude savante sur le comportement des corbeaux durant le jour.

— C'est un chat tellement intellectuel ! dit la plus grande des deux sœurs.

— Yom Yom prépare une licence d'entomologie, mais hier elle s'est distinguée en sauvant une vie.

— Vraiment ? dirent les deux sœurs à l'unisson.

— Vous savez comment les oiseaux se blessent en essayant de traverser l'écran protecteur d'une fenêtre ou une vitre. Eh bien, un oiseau-mouche a volé contre l'écran du porche, son bec s'est pris dans la toile métallique et il se débattait désespérément jusqu'à ce que Yom Yom saute sur le dossier d'une chaise qui se trouvait là et lui donne doucement un coup de patte sur son bec.

— Comme elle est gentille ! s'extasia la plus petite des sœurs.

— Qui aurait pu penser qu'elle puisse se montrer si charitable ? demanda l'autre.

« Plus vraisemblablement, elle a pensé que c'était un insecte qui s'était pris dans les mailles », se dit Qwilleran.

La clochette au-dessus de la porte tinta et tous se retournèrent pour voir Derek Cuttlebrink entrer dans la boutique.

— Je viens juste de terminer mon service, annonça-t-il. Il reste cinq heures avant le lever de rideau. Y a-t-il du café ?

Il se dirigea à grandes enjambées vers l'arrière-boutique. Qwilleran le suivit après avoir échangé quelques plaisanteries avec les sœurs et avoir donné un exemplaire du journal à Elizabeth.

Les deux hommes s'installèrent sur les chaises en nylon noir avec leurs tasses de café en plastique.

— Je ne touche jamais à rien quand je suis de service, dit Derek.

— Comment vont les affaires ?

— Très bien au déjeuner. Je ne suis pas là le soir, aussi je ne sais pas quel genre de clientèle il y a pour le dîner.

— Avez-vous de bons rapports avec votre patron ?

— Oh ! bien sûr, nous nous entendons bien. Il a besoin de moi et il le sait. Je n'ai pas à réparer toutes ses gaffes.

Il baissa la voix :

— J'en connais davantage que lui sur la restauration. Du moins, j'ai étudié un livre ou deux. C'est juste un gars qui aime manger et boire et qui a cru que ce serait amusant d'avoir un restaurant. Il s'est trompé. C'est un des métiers les plus délicats qui soit. Owen a eu de la chance d'épouser une cuisinière hors pair. Dans son genre, sa femme est une artiste. Elle a fréquenté les meilleures écoles hôtelières. De plus, elle adore ça. C'est aussi une femme charmante. Beaucoup plus jeune que lui et moins collet monté. Il s'attend à être appelé Mr. Bowen. Elle dit : « Appelez-moi Ernie. » Son nom est Ernestine. Elle travaille dur à la cuisine pendant qu'il va s'amuser à la pêche.

— Je suppose que quoi qu'il attrape au bout de sa ligne, cela se retrouve au menu sous le nom de « Pêche du jour »... au prix du marché !

— Eh bien... non ! C'est curieux, mais Owen prétend qu'Ernie ne sait pas accommoder les poissons de lac. Ce qu'il attrape pour s'amuser, il le rejette à l'eau. Je vous dis que ce type est cinglé.

— Hum, fit Qwilleran en lissant sa moustache. Quel est le plat qui a le plus de succès pour le déjeuner?

— Sans le moindre doute les brochettes de pommes de terre.

— J'ai entendu les gens en parler. En quoi cela consiste-t-il?

Derek appela à haute voix :

— Liz, reste-t-il des brochettes?

— Quelques-unes, dit-elle. J'en ai commandé d'autres et Mike les fabrique aussi vite qu'il le peut, mais j'ai du mal à répondre à la demande.

Elle montra à Qwilleran un paquet de longues brochettes de trente centimètres en fer tirebouchonné, avec un bout pointu et à l'extrémité opposée un médaillon décoratif pour les tenir. Elle expliqua :

— En faisant cuire les pommes de terre sur des brochettes, le temps nécessaire est plus court et c'est bien plus léger, plus savoureux et plus nourrissant.

— Vraiment? ricana Qwilleran. Cela me paraît surtout être un attrape-nigaud.

— Je ne connais pas l'origine de ce mode de cuisson, mais cela semble être un plat reconnu. C'est Derek qui a eu l'idée de mettre les brochettes de pommes de terre au menu. Ernie en a acheté une douzaine pour commencer. Maintenant elle en veut toujours davantage.

— Je vais vous expliquer pourquoi ce plat a autant de succès, dit Derek. Les pommes de terre sont retirées des brochettes et préparées à côté des tables, ce qui a un effet théâtral. Dîner dans un grand restaurant est un spectacle en soi. Les gens apprécient l'attention spéciale qu'on leur apporte à la table de service, par exemple pour préparer une truite, mélanger une salade César ou faire flamber un dessert. Je procède au rituel et en fais un bon spectacle. Venez déjeuner un de ces jours.

— Je le ferai. En attendant, je vais y dîner ce soir avant la pièce.

— Cela me rappelle...

Il sauta de sa chaise et se précipita vers la porte.

— Bonne chance ! lui cria Qwilleran.

— Qwill, avez-vous lu le journal d'aujourd'hui ? demanda Elizabeth. Regardez l'annonce page cinq.

Il déplia le journal qu'il avait apporté et lut :

N'AVEZ-VOUS RIEN REMARQUÉ DERNIÈREMENT ?

Aimez-vous la façon dont les gens s'expriment dans le comté de Moose ?

N'êtes-vous jamais irrité d'entendre comment on y parle ?

Croyez-vous que le subjonctif passé doit être éliminé du langage ?

Confondez-vous *dont* et *que* ?

DEMANDEZ À MS. GRAMMA

Sa rubrique commencera la semaine prochaine sur cette page. Écrivez-lui au *Quelque Chose du Comté de Moose.* Questions et reproches recevront toute son attention.

— Eh bien, voilà une surprise, c'est le moins que je puisse dire, observa Qwilleran. Les lecteurs réclamaient un commentaire éditorial sur l'anglais négligé couramment employé dans le comté de Moose. Il reste à démontrer qu'une telle rubrique sur le respect de la grammaire servira à quelque chose. Qu'en pensez-vous, Elizabeth ?

— Franchement, je crois que les gens qui en auraient le plus besoin ne liront pas cette rubrique et de plus je ne vois pas grand mal à la façon dont ils s'expriment. Ils ont appris leur patois de leurs parents et ils parlent ainsi surtout entre amis.

Qwilleran répondit après un instant de réflexion :

— Ma question est : qui va tenir cette rubrique ?

Jill Handley pourrait le faire ou quelque professeur d'anglais en retraite. Mais c'est là le problème de Junior Goodwinter. Attendons pour voir.

Avant de rentrer chez lui, Qwilleran retourna une fois de plus à Fishport. Le panneau sur la pelouse était toujours recouvert, mais il n'y avait plus de voitures de police dans l'allée. Qwilleran pensa qu'il pouvait frapper à la porte et demander, en tant qu'ami, ce qui se passait. « Puis-je faire quelque chose pour vous ? » était une phrase passe-partout qui ouvrait la voie aux confidences.

Il frappa à la porte et ne reçut pas de réponse. Il frappa encore. On entendait marcher quelqu'un à l'intérieur, quelqu'un qui, de toute évidence, ne voulait pas être dérangé.

Il s'en alla.

CHAPITRE VI

Avant d'aller dîner et de se rendre au théâtre, Qwilleran donna à manger aux chats et leur offrit une séance de lecture. En ce moment, ils appréciaient le livre sur les moutons, *Loin de la foule déchaînée*. Comme d'habitude, ils étaient installés sous le porche — Qwilleran dans sa chaise longue, Yom Yom sur ses genoux et Koko sur le dossier de sa chaise, regardant par-dessus son épaule. Si Qwilleran dramatisait l'histoire, Koko s'excitait et se penchait en avant. Puis les moustaches du chat venaient chatouiller les oreilles de l'homme. L'épisode que Qwilleran lut ce soir-là était de ce genre — l'événement tragique qui avait fait le succès du livre.

Un chien de berger inexpérimenté avait commis une erreur fatale. Son père, le vieux George, avait la sagesse d'un vétéran parmi les gardiens de moutons, mais le jeune chien trop enthousiaste manquait de bon sens. Son travail était de pousser les moutons dans la bonne direction et il le faisait bien. Ce fut le bruit des clochettes du troupeau en fuite qui alerta le berger au cours d'une nuit sombre. Il appela les chiens. Seul George répondit.

Poussant le cri des bergers « Ovey ! Ovey ! Ovey ! », l'homme courut vers la colline. Il n'y avait pas de moutons en vue, mais le jeune chien se tenait au bord de la falaise crayeuse et regardait en bas. Il avait pourchassé le troupeau jusqu'à ce qu'il traverse une haie et enfonce une barrière, puis plonge vers une mort certaine. Deux cents brebis et deux cents agneaux qu'elles auraient dû mettre bas étaient ainsi irrémédiablement perdus. Le berger était financièrement ruiné et le pauvre chien fut abattu.

Qwilleran fit claquer le livre en le fermant. Il avait lu avec émotion et ses auditeurs avaient senti la tension dans sa voix. Bien qu'il décrivît une ferme du XIXe siècle dans un comté anglais fictif appelé Wessex, il ressemblait au comté de Moose où l'élevage du mouton aidait tant de familles à vivre. Il y eut un lourd silence sous le porche... jusqu'à ce que le téléphone se mît à sonner.

— Excuse-moi, dit-il en délogeant Yom Yom de ses genoux.

L'appel venait de Sarah Plensdorf, la consciencieuse chef de service du *Quelque Chose*.

— Je suis navrée de vous déranger pendant vos vacances, Qwill, mais j'ai reçu une demande pour avoir votre numéro de téléphone d'une femme qui semble très jeune et très timide. Quand je lui ai suggéré de vous écrire, elle a insisté : elle aurait un message urgent pour vous. J'ai noté son numéro de téléphone et lui ai dit que j'allais essayer de vous joindre. Elle appelait de Fishport.

— Donnez-moi son numéro. Je la rappellerai, dit-il. Vous avez très bien géré la situation, Sarah.

— Vous devez demander Janelle.

Quand il appela le numéro indiqué, une voix douce, à peine murmurée, répondit :

— Résidence de Safe Harbor.

Il dut réfléchir un instant. Était-ce l'institution pour les veuves de pêcheurs ?

— Y a-t-il chez vous quelqu'un du nom de Janelle ? demanda-t-il.

— Je suis... Janelle, dit-elle en hésitant. Êtes-vous... Mr. Qwilleran ?

— Oui. Vous avez appelé mon bureau.

La lenteur d'élocution de sa correspondante le poussait à s'exprimer en termes concis.

— Vous avez un message urgent ?

— C'est de la part d'une de nos résidentes. La veuve de... Primus Hawley. Elle a confectionné un charmant... présent à votre intention.

Il tira sur sa moustache. Ce devait être la belle-mère de Doris Hawley. Elle avait brodé quelque chose pour lui... sans doute *Home Sweet Home* encadré de roses. Il jeta un regard à Koko qui, près de son coude, écoutait.

— C'est fort aimable de sa part, dit-il.

— Serait-ce trop vous demander de... venir le chercher ? Elle a quatre-vingt-dix ans. Elle serait... enchantée de vous rencontrer.

Koko le fixait sur le front, et Qwilleran se crut obligé de répondre :

— Pas du tout. J'ai le plus grand respect pour tous les gens de la pêche industrielle. J'ai écrit une chronique sur la bénédiction de la flotte au printemps dernier.

— Je sais ! Nous l'avons mise au parloir... dans un joli cadre !

— Je passerai un jour de la semaine prochaine.

— Ne pourriez-vous venir... plus tôt ? demanda la voix douce mais insistante.

— Eh bien, disons lundi après-midi.

Il y eut une pause.

— Pas plus tôt ?

— Très bien, dit-il avec exaspération. Je viendrai demain après-midi.

Il y eut une autre pause.

— Ne pourriez-vous me préciser exactement à quelle heure ? Elle doit... faire la sieste.

Après avoir promis qu'il viendrait à deux heures, Qwilleran raccrocha et fut surpris de voir Koko se mettre à courir en rond.

— Si tu savais conduire, dit-il au chat, je t'enverrais à ma place.

Quand Qwilleran arriva à *Owen's Place*, la première chose qu'il remarqua dans le petit hall d'entrée fut une vitrine éclairée exposant des objets étincelants en cristal taillé. Il chercha une carte disant « Avec l'aimable concours d'Arnold », mais rien n'était signalé. Autrement, l'intérieur était surtout blanc, avec quelques accents de rose et de jaune et un grand nombre de plantes en pots, de paniers suspendus et d'arbres d'intérieur. Il put dire au premier coup d'œil qu'ils provenaient de la Serre, un magasin de Lockmaster qui louait du feuillage en plastique pour toutes les occasions. Dans l'ensemble, ce n'était pas si mal. Sur les deux longs murs les grandes fenêtres étaient ouvertes et leurs persiennes blanches les encadraient agréablement.

La moitié des tables étaient occupées et un murmure d'excitation s'élevait des dîneurs qui se préparaient à se rendre à la soirée théâtrale. Pour des vacanciers, les gens étaient vêtus décemment et Qwilleran se félicita de porter sa veste en seersucker rayée. Tandis qu'il attendait dans l'entrée, plusieurs têtes se tournèrent dans sa direction et des mains le saluèrent.

Owen Bowen, bien bronzé, s'avança avec un froncement de sourcils qui déformait ses nobles traits.

— Avez-vous réservé ?

— Non, je regrette.

L'hôte balaya la pièce du regard.

— Combien de personnes ?

— Je suis seul.

Cela nécessitait un nouvel examen de la situation.

— Fumeur ou non fumeur ?
— Non fumeur.
Après une pénible cogitation, il conduisit Qwilleran à une petite table et demanda :
— Désirez-vous un apéritif ?
— De l'eau de Squunk on the rocks, avec un zeste de citron.
— Qu'est-ce que cela ?
Qwilleran répéta sa commande et expliqua qu'il s'agissait d'une eau minérale venant d'une source naturelle de Squunk Corners, mais il ajouta qu'il se contenterait d'un soda.
Le menu était inhabituel selon les normes du comté de Moose : de la longe de veau cloutée d'aubergines, d'épinards et de poivron rouge, avec des tomates séchées au soleil... ce genre de choses. Qwilleran joua la sécurité avec un osso bucco d'agneau sur un lit de fettuccini au basilic. Le potage du jour était une purée de chou-fleur au gorgonzola servie dans une assiette creuse, avec trois brins de ciboulette formant un triangle sur la surface crémeuse.
Tandis qu'un personnel stylé prenait les commandes et faisait le service, l'hôtelier plaçait les clients et servait les boissons mais son hospitalité frôlait le degré zéro. Au fond de la salle, un treillage cachait en partie le bar, la caisse enregistreuse et une fenêtre donnant sur la cuisine, à travers laquelle Qwilleran aperçut une jeune femme portant une toque blanche de cuisinier. Son visage très pâle avait une expression d'extrême concentration.

Certains clients commencèrent à partir à sept heures et quart, disant qu'ils voulaient profiter des places de parking. Lorsque Qwilleran arriva à la ferme Botts, il y avait des véhicules des deux côtés de la route aussi loin qu'il pouvait voir et d'autres étaient dirigés vers des terrains vagues. Lui-même utilisa sa carte de presse et fut admis dans un parking situé derrière la grange.

Les spectateurs s'étaient rassemblés dans la cour, hésitant à pénétrer à l'intérieur. La soirée était belle et il s'agissait d'une véritable célébration. Les Riker étaient là.

— C'est comment, *Owen's Place* ? demandèrent-ils.

Qwilleran fut heureux de pouvoir leur dire que la cuisine était excellente.

— Le chef est une femme, et elle sait innover mais pas trop. Le patron est un pisse-froid. Si vous n'aimez pas le genre, je vous suggère d'y aller pour déjeuner quand Derek est de service.

Puis tournant un peu le dos à Arch, il demanda à Mildred :

— Votre sensible époux s'est-il remis de la mortification d'avoir dû tricoter en public ?

— Ne vous y trompez pas, Qwill. Il adore la notoriété. Et il a même reçu une lettre d'un admirateur qui est mécanicien à Chipmunk.

— J'espère que la pièce est meilleure que cette conversation de lever de rideau, dit Arch. Entrons.

— Le spectacle va commencer ! cria une ouvreuse à la foule rassemblée dans la cour.

Sur la scène, il n'y avait pas de rideau, et dans la salle les sièges n'avaient pas de dossier. Des gradins, permettant une bonne vue, occupaient une extrémité de la grange et une scène surélevée était dressée de l'autre. Bien que le décor fût sommaire, l'auditoire pouvait imaginer une élégante maison de campagne avec une terrasse sur la droite.

Les lumières baissèrent, la musique électronique s'assourdit et la pièce commença — avec des personnages obstinés qui affirmaient que les OVNI étaient le fruit de l'imagination. Pendant ce temps, un navire de l'espace entouré d'une lumière verte atterrissait dans une roseraie au fond de la scène. Un Visiteur mesurant près de deux mètres fit son entrée. L'auditoire applaudit et s'exclama en reconnaissant son acteur préféré. Il portait un uniforme de la guerre de Sécession et des favoris. Il expliqua aux Terriens qu'il s'était trompé dans ses calculs et avait choisi le mauvais siècle pour atterrir. Ce rôle était une gageure pour Derek, qui était presque constamment en scène.

Au cours de l'entracte, tandis que les spectateurs étaient heureux d'abandonner les gradins pendant quelques minutes, Qwilleran écouta leurs commentaires.

ELIZABETH HART. — N'est-il pas fabuleux ? Il sait tout faire et fait tout bien !

LYLE CAMPTON. — Ce garçon va-t-il s'arrêter un jour de grandir ?

ARCH RIKER. — Cette pièce met les OVNI là où ils devraient être : dans une bande dessinée.

JUNIOR GOODWINTER. — J'ai entendu dire qu'ils affichent complet pour les trois week-ends.

De toute évidence, Derek tenait la vedette. Ses groupies étaient là au grand complet, réagissant à chaque réplique. Après le dernier acte et après que les applaudissements délirants eurent cessé de secouer les poutres de la vieille grange, une foule joyeuse sortit dans la cour.

Junior saisit Qwilleran par le bras.

— Et si nous déjeunions ensemble demain pour discuter boutique ? J'ai une idée que j'aimerais vous soumettre.

— Venez à Mooseville et je vous invite, dit Qwilleran. J'ai rendez-vous à deux heures à Fishport. Nous irons à *Owen's Place* et verrons Derek dans un rôle différent.

Puis il trouva Arch qui attendait Mildred. Il se tenait près d'une flèche qui dirigeait vers un édicule mobile installé derrière la grange. Qwilleran demanda :

— A part les sièges, comment avez-vous trouvé le spectacle ?

— J'espère qu'il ne va pas attiser davantage la passion des OVNI ! Les gens viennent de subir un lavage de cerveau et ma femme fait partie des cinglés.

— Eh bien, j'écoute leurs conversations poliment, dit Qwilleran, mais je n'en crois pas un mot, naturellement.

— J'en ai assez d'être poli. Trop c'est trop. Toulouse est assis et regarde en l'air comme le font tous les chats. Mildred prétend qu'il surveille des Visiteurs... Ah, la voici.

— Navrée de vous avoir fait attendre, dit-elle, mais il y avait la queue. Qwill, voulez-vous vous arrêter chez nous pour prendre un verre ?

— Merci, mais je dois rentrer à la maison pour écrire l'article tant que j'ai la représentation fraîche dans mon esprit.

— J'ai ma voiture à cinq cents mètres d'ici, grogna Arch. Où êtes-vous garé ?

— Derrière la grange, privilège de reporter !

— Espèce de veinard ! Je dirige le journal et je dois faire cette trotte à pied !

— Je vous propose un marché, dit Qwilleran, je vous conduis à votre voiture et vous écrivez mon article.

Il n'y eut pas de marché.

Ce que regrettait le plus Qwilleran de la vie d'un journaliste au Pays d'En-Bas était les interminables palabres entre gens de métier — au bureau, près du distributeur d'eau fraîche, à la cantine, au club de la presse —, aussi attendait-il avec impatience son déjeuner de samedi avec le jeune rédacteur en chef.

De son côté, Junior accueillait probablement avec plaisir un échange d'idées avec un journaliste qui était aussi un ami — et le commanditaire financier du journal de façon indirecte.

Qwilleran arriva au parking de *Owen's Place* juste au moment où Junior descendait de voiture. Ils entrèrent ensemble au restaurant.

— Ouah ! Quelle classe ! s'exclama Junior quand Derek les accueillit.

— Bon spectacle hier soir, dit Qwilleran. Vous avez su exprimer cet excellent mélange d'absurdité et de convaincante réalité.

Quand ils furent assis, Junior dit à Qwilleran :

— Croyez-vous que la pièce va susciter à Mooseville une vague d'hystérie concernant les OVNI ? Vous savez comment sont les gens par ici. Nous n'avons pas envie d'attirer l'attention des chaînes de télé ou des grands quotidiens du Pays d'En-Bas. Ils sont prompts à se jeter sur toutes ces histoires bizarres à propos des simples gens de la campagne comme nous. Mais ce n'est pas la raison pour laquelle Arch oppose son véto sur toute lumière mystérieuse dans le ciel. C'est une véritable phobie personnelle chez lui.

— Et vous, qu'en pensez-vous, Junior ?

— Je n'ai pas d'opinions tranchées dans un sens ou dans l'autre, mais je maintiens que la réaction des résidents des plages fait partie des nouvelles et mérite d'être rapportée, plus un à-côté citant le Pentagone et autres sources officielles, pour avoir l'autre point de vue sur l'histoire.

Les apéritifs furent servis — un spritzer rouge et une eau de Squunk — et Qwilleran leva son verre pour porter un toast.

— Au bon sens, s'il en reste encore !

— Quel est le sujet de votre prochaine chronique, Qwill ?

— Mille mots sur le journal intime de l'arrière-grand-mère de Lisa Compton. Mark Twain est venu dans la région lors d'une tournée de conférences à la fin du XIXe siècle et elle a eu le béguin pour lui. Ils ne se sont jamais rencontrés, mais elle a été séduite par sa moustache.

— Voilà qui me paraît être un sujet brûlant pour un quotidien familial, dit Junior, pince-sans-rire.

— Il y a un fait intéressant. Des objets étranges dans le ciel furent également signalés avant les années 1900 et l'on pensa qu'ils venaient du monde des esprits... Avez-vous regardé le menu, Junior ? Nous ferions mieux de commander.

En plus des variations imaginatives sur des plats ordinairement servis au déjeuner, il y avait la spécialité de la maison : « Essayez nos brochettes de pommes de terre ! Une livre de légumes parfaits, provenant de l'Idaho, cuits à la broche et préparés à votre table. Choisissez une sauce, un accompagnement et une garniture. »

Les journalistes étudièrent consciencieusement la liste des propositions.

Les sauces : marinara, bolonaise, Alfredo, ratatouille, curry de poulet ou yaourt aux herbes avec anchois.

Les accompagnements : champignons Portobello sautés, anneaux d'oignons rouges, olives noires dénoyautées, garbanzo à l'ail, foies de poulet sautés ou cubes de tofu grillés.

Les garnitures : parmesan râpé, noix de cajou grillées, carottes râpées aux câpres, lamelles de noix de coco fraîche, fromage stilton écrasé ou crème aigre à la ciboulette.

Après avoir étudié la liste, Junior déclara :

— C'est intimidant, c'est le moins que je puisse dire. Je n'arrive pas à croire que cela se passe dans le comté de Moose.

— Prenez-vous-en à Derek, répondit Qwilleran.

Voilà ce qui arrive quand vous envoyez un garçon à l'université !

— Ce que j'aimerais vraiment avoir, c'est un honnête sandwich au bœuf.

Qwilleran appela Derek :

— Serons-nous jetés dehors si nous commandons deux sandwiches au bœuf et au raifort ?

— Nous sommes au service des clients, dit Derek qui ajouta en baissant la voix : Nous sommes à court de brochettes, de toute façon.

Ils passèrent l'heure du déjeuner à discuter de politique éditoriale, de problèmes internes, de nouvelles idées et d'anciennes erreurs. Qwilleran savoura cette conversation et offrit quelques conseils, puis il consulta finalement sa montre et déclara qu'il était temps pour lui de partir pour Fishport.

— Qu'allez-vous y faire ?

— Rendre visite à quelques résidentes âgées à Safe Harbor. C'est une des nombreuses corvées que je m'impose pour le *Quelque Chose* sans être payé. Je fais une apparition, serre quelques mains, dis ce qu'il faut et attire des amis au journal. J'espère que cette initiative est appréciée.

— Je pense que vous aimez les vieilles dames.

— Pourquoi pas ? Elles aussi m'aiment bien, dit Qwilleran avec désinvolture, bien qu'il se rendît compte qu'il était attiré par les octogénaires et les nonagénaires des deux sexes.

Il savait pourquoi : il n'avait pas connu ses grands-parents. Sa mère n'en parlait jamais et, enfant, il était trop absorbé par lui-même pour poser des questions. Sa vie était axée sur le base-ball, sa participation au théâtre de l'école, les concours d'orthographe (qu'il gagnait toujours) et la pratique du piano (à contrecœur).

Il ne recevait jamais de cartes d'anniversaire ou de cadeaux de Noël de grands-parents. Sa « famille étendue » se limitait aux amis de sa mère et aux parents d'Arch Riker. Pop Riker était le meilleur père qu'il ait connu. Maintenant, il se posait souvent des questions sur ses ancêtres. Qui étaient-ils ? Où vivaient-ils ? Que faisaient-ils ? Pourquoi sa mère n'en parlait-elle jamais ? Leurs traces pouvaient-elles être retrouvées ? Il existait une société généalogique à Pickax. Elle devait savoir comment procéder.

Il y pensa en se rendant à son rendez-vous de l'après-midi. Avant qu'il s'en fût rendu compte, il était arrivé au village de Fishport et la vieille demeure appelée Safe Harbor se dressait devant lui.

CHAPITRE VII

Safe Harbor était un bâtiment à trois niveaux dans un style victorien, avec porches, bow-windows, balcons, pignons, une tourelle et un belvédère. Cette maison avait été la résidence d'un magnat de la navigation dans les jours florissants du comté de Moose, quand les familles étaient nombreuses, les voyages lents et que les invités restaient longtemps. Il y avait beaucoup de chambres à l'étage et au quartier des domestiques au grenier. Le belvédère était une petite terrasse sur le toit agrémentée d'une rampe en fer forgé. De cette situation élevée, des membres de la famille pouvaient surveiller l'arrivée des bateaux amenant des êtres chers ou des cargaisons de valeur. Tous s'inquiétaient en raison de la présence de rochers traîtres et de pirates.

A la suite de l'effondrement économique, l'importante demeure devint une pension de famille pour les ouvriers des sablières, puis un hôtel estival au cours des jours prospères de la prohibition, ensuite une école privée des mordus de la navigation de Chicago. Finalement l'immeuble fut acheté par les familles Scotten, Hawley et Zander comme maison de retraite pour les veuves des marins pêcheurs, dont les activités étaient jugées parmi les plus dangereuses selon les études gouvernementales.

Quand Qwilleran arriva, il tira sur la cloche de la porte d'entrée. Celle-ci fut ouverte immédiatement par une jeune femme essoufflée avec un doux sourire. Une masse de cheveux auburn tombait sur ses épaules minces.

— Je suis Janelle Van Roop, dit-elle. C'est si... merveilleux de votre part de venir, Mr. Qwilleran. Toutes ces dames... vous attendent au parloir.

Ils se trouvaient dans un vaste hall sombre d'où partait un escalier sculpté de façon élaborée et où des doubles portes ouvraient sur de grandes pièces également sombres. Janelle le conduisit dans le seul salon clair et gai, avec des rideaux en dentelle blanche garnissant les hautes fenêtres étroites.

Quand ils entrèrent, des applaudissements éclatèrent de quarante-huit mains frêles. Vingt-quatre veuves aux cheveux gris ou blancs, portant de jolis corsages, étaient assises en cercle.

— Mesdames, dit Janelle, voici notre... cher Mr. Q. !

D'autres applaudissements crépitèrent sur un volume encore plus enthousiaste.

— Bon après-midi, mesdames, dit Qwilleran de la voix ensorceleuse dont se souvenaient toujours ses interlocuteurs quand il s'en donnait la peine. C'est un grand plaisir de rencontrer tant d'aussi fidèles lectrices, qui ont toutes l'air tellement élégantes et pleines de... séduction.

Il y eut quelques petits rires de plaisir et d'amusement.

— J'aimerais vous serrer la main individuellement si Janelle veut bien faire les présentations.

Un murmure d'excitation général lui répondit.

Qwilleran s'était déjà trouvé dans cette situation et il s'en acquittait avec la plus grande courtoisie, appréciée par les femmes d'un certain âge. Cela venait en partie de son aisance devant un public et de son réel intérêt pour la génération des anciens.

Tandis que Janelle et lui avançaient autour de la pièce dans le sens des aiguilles d'une montre, il serra chaque main tendue, mince, ridée ou arthritique, entre les deux siennes et la retint avec un mot aimable, offrant un compliment, posant une question, apportant les salutations de Koko et Yom Yom. Les exploits des siamois étaient souvent rapportés dans « la Plume de Qwill » et de nombreuses questions furent posées sur leur santé. Lui-même sut varier ses salutations en ayant toujours le mot juste : « Vous paraissez aller exceptionnellement bien... Portez-vous là un camée de famille ?... Le rose vous va très bien... Vous avez des yeux joyeux... Votre petit-fils est un véritable artiste avec le métal... Vous avez les plus jolis cheveux blancs que j'aie jamais vus. »

Quelques vieilles dames avaient des cannes à côté d'elles. La dernière du cercle était assise dans un fauteuil roulant. Elle fut présentée sous le nom de Rebecca Hawley.

— J'ai fait un ouvrage pour vous, Mr. Q., dit-elle d'une voix tremblante d'émotion. J'y travaille depuis le mois d'octobre.

Elle lui tendit un rouleau de tissu noué d'un ruban rouge, comme un diplôme.

Dissimulant son appréhension, il le déroula lentement et le regarda avec incrédulité. Les mots soigneusement brodés lui sautèrent aux yeux — ses propres paroles se détachant en lettres noires :

LES CHATS SONT LES CHATS... PARTOUT DANS LE MONDE !
CES AMIS À QUATRE PATTES, INTELLIGENTS,
AIMANT LA PAIX, DÉNUÉS DE HAINE ET DE PRÉJUGÉS,
SANS AVIDITÉ, POURRONT PEUT-ÊTRE NOUS APPRENDRE
QUELQUE CHOSE UN JOUR.
LA PLUME DE QWILL

— Je suis confondu ! balbutia-t-il. Je ne sais que dire.

Ces mots étaient extraits de sa chronique semestrielle sur les chats parue à l'automne dernier.

— Comment puis-je vous remercier, Mrs. Hawley ?

— Cela vous plaît-il ? demanda-t-elle, dans l'attente passionnée de son approbation.

— Si cela me plaît ? Gravé dans du marbre, je ne me serais pas senti plus honoré. Je vais le faire encadrer et je penserai à vous chaque fois que je le regarderai.

— Oh ! mon Dieu !

Elle porta ses mains décharnées à son visage et se balança d'avant en arrière dans un embarras charmant.

— Merci, Mr. Q., pour... nous avoir rendu visite, dit Janelle. Nous savons... combien vous êtes occupé.

— Ce fut un réel plaisir, dit-il en adressant un dernier salut à ses admiratrices.

Dans le hall, Janelle parut nerveuse.

— S'il vous plaît, Mr. Q... quelqu'un désire vous voir... en privé. Elle vous attend... dans le bureau.

— Qui est-ce ?

— Vous verrez.

Le bureau était une petite pièce sous l'escalier, équipée d'une table, de classeurs et deux chaises. Perchée d'un air guindé sur l'un de ces sièges inconfortables se trouvait Doris Hawley. Elle sauta sur ses pieds.

— Mrs. Hawley ! Quelle surprise !

— Pardonnez-moi...

— Il n'y a rien à pardonner. Je me suis inquiété à votre sujet... Asseyons-nous. Je suis encore tout ému d'avoir reçu le cadeau de votre belle-mère, ajouta-t-il en montrant le rouleau de tissu.

— C'est la seule façon que j'aie imaginée afin... de vous parler sans être vue... Permettez-moi de fermer la porte.

— Je vais le faire... Mais pourquoi tant de secret, Mrs. Hawley ?

A l'expression de son visage il était clair que c'était loin d'être un secret heureux.

— On ne veut pas que nous parlions à qui que ce soit, Magnus et moi... Si nous nous adressions aux médias, nous pourrions être arrêtés. C'est un sentiment horrible ! Qu'avons-nous fait ? On ne nous a rien dit.

— Avez-vous identifié le corps du randonneur ?

— Oui, et on nous a remerciés en s'excusant d'une certaine façon. Mais le lendemain la police d'État est venue à la maison avec des ordres du SBI[1] : Interdiction formelle de parler de quoi que ce soit à qui que ce soit !

— C'est ridicule ! s'indigna-t-il en lissant sa moustache d'un air interrogateur.

— Magnus leur a demandé pourquoi nous ne devions pas parler, mais on nous a seulement répondu que c'était les « ordres du SBI ». Le shérif n'est pas mauvais. Nous connaissons tous ses adjoints et la femme qui est venue fréquente notre église. Elle reconnaît que c'est très injuste, mais elle dit qu'elle doit suivre les instructions du SBI.

— C'est de la tyrannie, protesta Qwilleran. Je vous suggère de retirer le sac en papier du poteau et de reprendre votre travail de pâtisserie. S'il y a une objection de la police, dites à Janelle de me téléphoner et je reviendrai vous voir ici.

Mrs. Hawley parut émue aux larmes.

— Comment réagit Magnus ?

— Oh ! Il est fou furieux !

Revenu dans le hall, il dit à Janelle :

— Je vais vous donner mon numéro de téléphone

1. *State Bureau of Investigation*, Bureau d'investigation de l'État. *(N.d.T.)*

privé. Vous aurez peut-être à m'appeler encore... Êtes-vous un canari ?

Elle portait une blouse jaune qui identifiait les volontaires de l'action sociale du comté de Moose.

— Oui. A l'université, j'étudie les soins médicaux, dit-elle de sa voix languissante. J'ai même reçu des félicitations pour... services rendus à la communauté.

— Bravo ! Vous occupez bien votre temps.

Il retourna à sa camionnette, espérant avoir donné de bons conseils à Mrs. Hawley et regrettant qu'Arch Riker n'ait pu assister à sa performance devant ces femmes âgées. En cours de route, il réfléchit aux petites intrigues qui se nouaient dans les petites villes. Le SBI avait réagi trop hâtivement en présumant que des villageois crédules paniqueraient devant quelque chose de difficile à expliquer... et en présumant aussi, non sans raison, que les médias sauteraient sur l'histoire et la gonfleraient hors de toutes proportions.

Plus mystérieux encore pour Qwilleran était le comportement de Koko dans cette affaire et dans quelques autres. Le chat *avait voulu* qu'il accepte l'invitation de Janelle ; il avait senti qu'il existait une raison inconnue. Il *avait voulu* que Qwilleran emporte le vélo couché au chalet, ce qui lui avait permis d'opérer une sortie triomphale à la parade. Cette dernière chose était mineure, mais elle prouvait que Koko avait la prescience des événements. Incroyable ! De la même façon, Koko savait qu'il y avait quelque chose d'enterré sous la dune. Tous les chats ont un sixième sens, Qwilleran le savait, mais chez Kao K'o Kung il était développé à un degré incroyable !

En revenant en ville, la montre de Qwilleran lui apprit que Derek pourrait être à la boutique *Eliza-*

beth's Magic, se reposant après l'heure de presse du déjeuner à *Owen's Place*. Derek devait encore jouer au théâtre ce soir. Il y aurait donc une conversation sur le théâtre ainsi que sur le restaurant.

Mais Derek n'était pas encore arrivé. Elizabeth expliqua qu'il préparait les tables pour le dîner, plaçant certaines en diagonale afin de dissiper l'effet de wagon-restaurant. Ce serait une surprise pour le patron.

— Owen accepte-t-il toutes les initiatives de Derek ? demanda Qwilleran.

— Jusqu'ici il a eu carte blanche. Derek charme tout le monde, ajouta-t-elle, les yeux brillants.

Qwilleran avait connu Derek alors qu'il était aide-serveur dans un restaurant où il traitait les grands pontes et les évêques en visite avec la même bonhomie désinvolte qui séduisait les jeunes filles qui l'adoraient.

— Avez-vous rencontré Ernie ? demanda Qwilleran. A quoi ressemble-t-elle ?

— Elle est très gentille. C'est une personne d'un dynamisme intense. Elle est venue ici pour acheter des brochettes et elle m'a posé des questions sur les runes... alors je lui ai fait une séance de lecture.

— En quoi cela consiste-t-il exactement ?

— Ce sont de petites pierres gravées avec un alphabet antique que l'on utilise pour lire l'avenir. Ma lecture pour Ernie a été si négative que je ne lui ai pas donné une interprétation très honnête... Ah ! voici Derek.

Il fit irruption dans la boutique avec son énergie habituelle.

— J'ai soif ! Y a-t-il quelque chose de frais à boire ?

Il bondit dans l'arrière-boutique où se trouvait un petit réfrigérateur au-dessous de la cafetière, puis il revint et se laissa tomber dans un fauteuil avec une bouteille de jus de raisin glacé.

Qwilleran vint le rejoindre.

— Avez-vous un problème pour changer de chapeau entre la cuisine et le showbiz ?

— Non. Tout est du showbiz.

— Dommage qu'Ernie ne puisse prendre une soirée pour vous voir jouer.

— Elle ne va jamais au théâtre. C'est un bourreau de travail, dit Derek. Elle travaille de neuf heures du matin à neuf heures du soir avec juste une pause de deux heures dans l'après-midi et elle les passe à étudier de nouvelles recettes. Avez-vous remarqué le grand camping-car derrière le restaurant ? Il est rempli de bouquins de cuisine ! Je vous le dis : c'est une véritable pro ! Elle exécute les commandes à une allure étonnante et fait des présentations qui sont de véritables œuvres d'art ! Je lui ai demandé ce qu'elle préférait dans son travail et elle m'a répondu que c'était « le rythme soutenu ». J'ai voulu savoir ce qu'elle aimait le moins et elle a dit « les tomates en hiver ». Elle est comme ça !

Derek jeta un coup d'œil sur les clients qui étaient dans la boutique et dit :

— Venez dans la réserve.

Au milieu des étagères, des cartons et des casiers, il pouvait parler plus librement. Il savait que Qwilleran aimait connaître l'histoire derrière l'histoire.

— A la façon dont c'est organisé, je me présente à dix heures et demie du matin. Owen est là pour me faire entrer. Nous vérifions la caisse ensemble et je signe le montant. Puis il s'en va avec son seau d'appâts pour aller pêcher — ou c'est ce qu'il prétend. Mais son haleine sent déjà l'alcool ! On peut se demander ce qu'il prend comme petit déjeuner... et aussi ce qu'il y a dans le seau. Ensuite jette-t-il l'ancre de son bateau dans une baie retirée où il peut s'envoyer quelques verres d'alcool en lisant des magazines porno ? Est-ce pour cela qu'il ne ramène jamais de poisson ?

— Vous devenez bien cynique pour votre âge, Derek. Ernie ne va-t-elle jamais avec lui sur le lac ?

— Seulement le lundi quand nous sommes fermés. Et alors, je parie qu'elle emporte des livres de cuisine à lire. Entre nous, Qwill, je pense qu'elle s'inquiète de le voir boire autant. Elle a commis deux erreurs stupides la semaine dernière parce qu'elle manquait de concentration. Comme de servir un steak au thym sans thym et un Monte Cristo avec une sauce champignon sans champignon. Bon, eh bien, je dois aller chez moi pour me transformer d'un être humain stupide en un brillant extraterrestre !

Il sortit de la boutique en courant après avoir lancé un bref « A plus tard » en direction d'Elizabeth.

Rentrant chez lui en suivant la côte, Qwilleran commençait à chercher la vieille cheminée d'école et le signe K quand il vit un véhicule approcher en sens inverse et tourner sur la piste. Il appuya sur l'accélérateur. C'était une fourgonnette verte qu'il ne connaissait pas et il se méfiait des visiteurs inattendus. Un jour, Yom Yom avait été kidnappée. Il n'avait jamais oublié l'horreur de rentrer à la maison et de s'apercevoir qu'elle avait disparu.

Lorsque la fourgonnette verte arriva dans la clairière, sa camionnette était derrière et il sauta à terre pour affronter le conducteur.

— Bushy ! s'écria-t-il. Pourquoi ne m'avez-vous pas prévenu ?

Un jeune homme portant une casquette de baseball verte descendait du véhicule : John Bushland, photographe professionnel qui assurait également les commandes pour le *Quelque Chose du Comté de Moose*. Ayant perdu ses cheveux prématurément, mais non son sens de l'humour, il encourageait ses amis à l'appeler Bushy[1].

1. Ébouriffé. *(N.d.T.)*

— J'ai téléphoné et je n'ai pas eu de réponse. Alors j'ai tenté ma chance. J'ai assisté à une réunion familiale dans le voisinage.

— Pour le compte du journal ?

Il y avait des dizaines de réunions familiales chaque week-end en été et en général elles ne valaient que quelques lignes dans le journal et pas de photos.

— Non. Les Ogilvie veulent une photographie de groupe tous les ans pour illustrer l'histoire de la famille. Pour l'habituel cliché du plus âgé avec le plus jeune, j'ai fait poser une vieille femme qui a cent ans avec un agneau de deux jours. C'était charmant. Quoi ? Ils ont trouvé l'idée formidable !

— Vous avez une nouvelle fourgonnette, Bushy.

— Non. Elle est repeinte. Dwight Somers m'a recommandé une couleur moins sombre et un logo plus gai pour renforcer mon image dans le milieu rural.

— Les affaires doivent bien marcher si vous pouvez vous offrir les services d'un conseiller en relations publiques.

— Elles ne sont pas si bonnes que ça. J'ai troqué des photos contre ses services.

— Eh bien, entrez boire un gin tonic. Il se trouve que j'ai les ingrédients nécessaires.

Bushy s'accouda sur le bar tandis que Qwilleran faisait les mélanges et ouvrait un ginger ale pour lui.

— Où sont les chats ? demanda le jeune homme.

— Ils dorment quelque part.

— Alors je peux parler librement. Ces lascars vont finalement être neutralisés. J'ai commandé l'objectif spécial.

Depuis plusieurs années, Bushy essayait de prendre une photographie qui lui vaudrait un prix et placerait Koko et Yom Yom en première page du calendrier des chats célèbres. N'ayant aucun désir de célébrité, ils avaient déjoué ses efforts répétés avec une exaspérante ingéniosité, quelle qu'ait pu être sa stratégie secrète. Maintenant, il avait repéré un vieil objectif permettant de photographier les sujets récalcitrants à leur insu.

— Bravo ! dit Qwilleran. Ces sacripants ont joué la comédie assez longtemps.

Comme ils transportaient leurs boissons sous le porche, Yom Yom se leva du fauteuil où elle dormait et s'étira gracieusement à la façon d'un génie sortant d'une bouteille. Koko dormait sous un rayon de soleil, juché sur son piédestal. Il sauta à terre avec un grognement.

Les deux hommes s'installèrent sur les chaises longues et contemplèrent la vue. Ciel bleu, nuages blancs, lac parsemé de voiles blanches à l'horizon.

— C'est la régate annuelle des sloops du Grand Island Club, dit Bushy. Le gagnant de l'an dernier voulait que j'embarque avec eux cette année pour faire des photographies, mais je ne monterai pas sur l'un de ces joujoux pour tout l'or du monde. Je m'en tiens aux vieux rafiots... Savez-vous que j'en ai un nouveau ? Un brave yacht de croisière de sept mètres, avec sonar, radio VHF, stéréo, quatre couchettes. Je vous emmènerai faire une croisière un de ces jours. Je crois que vous serez impressionné.

— Vous ne me ferez jamais plus monter sur un bateau, Bushy, dit Qwilleran avec conviction. Après ce voyage à l'île des Trois Arbres, j'ai eu des cauchemars pendant un mois et Roger a failli succomber à une pneumonie[1].

— Oui, mais j'ai beaucoup appris depuis. Je fais attention aux prévisions météorologiques, aux sifflements aériens et aux soudains changements de couleur du ciel. Cela n'arrivera plus et nous choisirons une belle journée.

1. Voir *Le Chat qui inspectait le sous-sol*, 10/18, n° 2321.

— Nous avions choisi une belle journée, la dernière fois.

Ce voyage malencontreux avait été une idée saugrenue depuis le début, songea Qwilleran. Un pilote volant au-dessus de l'île avait vu ce qu'il avait pris pour des cercles calcinés sur la plage. Il avait mentionné le phénomène à Roger MacGillivray, passionné de vaisseaux de l'espace. Bushy en était un autre. Les deux hommes décidèrent de procéder à une investigation. Qwilleran accepta de les accompagner. Ils ne virent jamais les prétendues traces de feu et ce fut un miracle qu'ils s'en soient tirés vivants.

Qwilleran savait que le jeune homme était particulièrement fier de son bateau.

— D'accord, dit-il, je vais encore une fois mettre ma vie en danger, mais prévenez-moi à l'avance pour que je prenne une assurance supplémentaire.

— Je pensais que nous pourrions sortir demain, dit Bushy. Le temps va être parfait et nous pourrions faire quelques achats au *Pâtés Gâtés* pour déjeuner à bord.

Qwilleran était particulièrement amateur de cette spécialité de pâtés propre à Mooseville.

— Où et à quelle heure ? demanda-t-il.

Après le départ de Bushy, Qwilleran brossa les siamois. Ils aimaient ça et lui trouvait cet exercice favorable à la réflexion. Yom Yom considérait que c'était un jeu excitant de se battre avec la brosse. Koko se soumettait à l'opération avec la dignité d'un monarque se préparant au couronnement. Le porche était un endroit idéal pour ce rituel. Une brise légère faisait voler les poils de chat dans les coins où ils pouvaient être facilement ramassés. Avec malice il se demanda si les boules de léger duvet ne pourraient être filées pour permettre à Arch de tricoter des chaussettes. Quel cadeau de Noël cela ferait ! Pour bien rire à tout le moins !

Une pensée en amenant une autre, il téléphona à Mitch Ogilvie, un éleveur de chèvres.

— J'ai appris que vous aviez une réunion familiale aujourd'hui, Mitch.

Le fermier était dans la fromagerie, et sa voix résonnait sur les murs en ciment et les cuves en acier inoxydable.

— J'y suis resté assez longtemps pour figurer sur la photo officielle. Mais les chèvres n'autorisent pas un seul jour de congé.

— Connaissez-vous par hasard deux femmes Ogilvie qui filent de la laine ?

— Bien sûr, ce ne peut être qu'Alice et sa fille. Son mari a un élevage de moutons dans Sandpit Road.

— Si j'écrivais une chronique sur l'art de filer la laine, serait-elle une bonne interlocutrice ? demanda Qwilleran. Est-elle une autorité en la matière ?

— Certainement. Nous allons nous procurer des chèvres cachemires et angoras à seule fin de pouvoir lui fournir la matière première. Elle vend ses fils de laine à des tisseuses et des tricoteuses partout dans le pays. Sa fille a créé un club de tricot unisexe, Qwill. Vous devriez vous y inscrire !

Qwilleran tira sur sa moustache.

— Arch Riker en fait partie et quand il aura terminé le bout de sa première chaussette, je considérerai peut-être la question. Franchement, je crois être parfaitement à l'abri de toute contagion.

Lorsque Qwilleran téléphona à l'élevage de moutons, il n'obtint pas de réponse. Sans doute la famille était-elle encore à la réunion, savourant les poulets au barbecue, les haricots blancs à la tomate et la salade de pommes de terre. Il décida de ne pas laisser de message et se pencha sur sa critique théâtrale pour le journal de lundi. Il était étendu sur la chaise longue sous le porche, écrivant sur un bloc-notes pendant que les siamois faisaient la sieste. Des nuages galopaient dans le ciel et les régates parsemaient l'horizon de leurs voiles blanches.

Écrire la critique d'une pièce de théâtre jouée dans une petite ville par une troupe locale nécessitait un art particulier. Quel est le but de la critique? se demanda-t-il. Certes pas de montrer l'esprit et le bon goût du critique. Pas davantage de flatter les acteurs amateurs pour les inciter à quitter leur travail et aller tenter leur chance à New York. Il ne fallait pas non plus dévoiler la surprise de l'intrigue et gâcher ainsi le plaisir des futurs auditoires. Encore moins convaincre les lecteurs qu'ils avaient eu raison de rester à la maison regarder la télévision.

Au lieu de cela, il expliqua à ceux qui étaient restés chez eux ce que c'était que d'assister à une soirée d'ouverture, la foule, l'excitation, la transformation de la grange, l'installation de la scène, la réaction du public, l'attitude pompeuse des officiels, le snobisme des commentateurs de télévision et les éclats de rire quand l'inattendu se produisait.

De temps à autre, Qwilleran levait les yeux de son bloc-notes et son regard tombait sur Koko. Après quoi il revenait sur son sujet avec une nouvelle idée ou une bonne tournure de phrase. C'était exactement ce que Christopher Smart avait écrit à propos de Jeoffrey : *Car il est une bonne source d'inspiration pour un homme qui veut s'exprimer de façon bien tournée.*

Au cours de l'un de ces interludes, il vit Koko lever brusquement la tête, allonger le cou et pointer les oreilles vers le lac comme si un corbeau avait posé ses pattes sur la plage ou si une sauterelle avait surgi dans les herbes hautes. Tout était tranquille, cependant Qwilleran toucha machinalement sa moustache. Quelques minutes plus tard, une silhouette contourna la dune et se présenta à sa vue. C'était une jeune femme portant un collant noir, une chemise en tissu léopard, une casquette de base-ball noire et des chaussures de jogging. Elle ne rôdait pas sur la grève comme d'autres, en short, T-shirt et sandales. Elle ne se baladait pas en cherchant des agates sur la plage, elle ne marchait pas non plus allégrement avec les coudes au corps. Elle avançait en se traînant péniblement.

Qwilleran s'approcha de l'échelle de sable devant laquelle il se tint avec les mains dans les poches de son pantalon. Quand elle fut assez près, il cria :

— Bonjour ! Belle journée !

Elle sursauta et inclina la tête dans sa direction en poursuivant son chemin de la même démarche laborieuse avec son sac en cuir qui pendait de son épaule au bout de sa longue bandoulière. C'était là encore un accessoire que l'on ne voyait jamais sur la plage.

Une demi-heure plus tard elle était de retour, se traînant sans regarder ni à droite ni à gauche.

CHAPITRE VIII

Quand il se rendit au drugstore, le dimanche matin, pour acheter le *New York Times*, qui faisait la même chose si ce n'était Arch Riker ?

— Avez-vous pris votre petit déjeuner ? lui demanda Qwilleran.

— Bien sûr. Des gaufres aux noix de pécan, des saucisses de pomme et de poulet et des muffins aux airelles, se vanta Riker, rappelant ainsi sans beaucoup de subtilité qu'il était le mari d'une journaliste tenant la rubrique gastronomique du journal. Mais je prendrai volontiers une tasse de café en votre compagnie si vous voulez manger quelque chose.

Ils traversèrent la rue pour se rendre à l'*Hôtel des Lumières du Nord* où ils s'installèrent devant une table donnant sur le port. Mrs. Stacy se précipita pour les accueillir. Comme copropriétaire, son travail consistait à s'occuper des clients. Son mari, Wayne, résolvait les problèmes.

— Où sont les bateaux ? lui demanda Qwilleran. Ne sommes-nous pas supposés avoir deux jours de régates ?

Le visage de Mrs. Stacy s'attrista.

— Elles ont été annulées. Il y a eu une noyade hier, tard dans la soirée.

— Rien n'a été annoncé dans le bulletin d'information du soir.

— On en a parlé sur toutes les chaînes de télévision de Chicago. Il s'agit du fils d'un grand ponte de là-bas. C'était un nageur expérimenté, paraît-il. Puis-je vous apporter du café, messieurs ?

Qwilleran remarqua avec amertume :

— On n'en a rien dit dans les nouvelles locales parce que la victime n'était pas « un des nôtres », comme disent les gens du cru.

— Je suis sûr que ce sera dans l'édition de demain.

— Oui. Vingt mots dans la colonne des faits divers. Si c'était quelqu'un d'ici, l'incident ferait la Une.

Riker haussa les épaules :

— Que puis-je dire ? Je ne peux défendre notre politique, ainsi vont les choses. Triste, mais vrai. Il est dans la nature humaine de réagir avec plus d'émotion à un accident de skate-board dans Sandpit Road qu'au déraillement d'un train dans le New Jersey. Pourquoi n'écrivez-vous pas une chronique à ce sujet ?

— Je le ferai peut-être.

— Avez-vous écrit votre compte rendu sur la pièce ? Qu'en avez-vous dit ?

Avec facétie, Qwilleran répondit :

— J'ai dit que Jennifer était charmante, Kemple bruyant et que Derek était grand. J'ai dit que toute la troupe avait appris le texte et que les gradins étaient durs.

Arch ignora ce rapport fantaisiste.

— Avez-vous expliqué le nom du théâtre ? Peu de gens du coin comprendront la plaisanterie.

— Inutile d'expliquer, patron. Le peu de gens qui ont entendu parler du Friars Club[1], dans les grandes

1. *Friars* : moines. *(N.d.T.)*

villes, apprécieront le calembour. Ceux qui croiront que notre club des Fryers se rapporte aux poulets à cuire riront pour une raison différente et l'intelligence de personne ne sera insultée.

Sans même consulter le menu, il commanda des œufs au jambon et des frites.

— Que vous raconte Polly ? demanda Riker, cherchant un sujet de conversation plus agréable.

— Je reçois un déluge de cartes postales. Elle arpente apparemment tout l'Ontario avec sa sœur Mona.

— Millie et moi ignorions qu'elle avait une sœur.

— Mona vit à Cincinnati et elles ne se sont pas vues depuis des années. Son nom est le diminutif de Desdemona, comme celui de Polly vient d'Hippolyta du *Songe d'une nuit d'été.*

— Je ne les blâme pas d'avoir choisi de les changer.

— Leur père était un fervent admirateur de Shakespeare et il a donné à tous ses enfants les noms de personnages des pièces. Polly a une sœur appelée Ophélie...

L'attention de Qwilleran parut distraite.

— Que regardez-vous ?

— Une jeune femme assise seule à une table dans le coin. Je l'ai vue hier arpenter ma plage d'un air égaré. Elle semble toujours ne pas être d'ici et souhaiter être ailleurs.

— Elle vient peut-être de débarquer d'un vaisseau de l'espace, dit Riker sur un ton sarcastique.

Qwilleran se leva, posa sa serviette et dit :

— Je reviens dans une minute.

Il traversa la salle en direction de la table où une jeune femme portant une casquette de base-ball se préparait à partir.

— Excusez-moi, dit-il courtoisement, mais n'êtes-vous pas le Dr Frobnitz de l'université de Branchwater ?

— Non, dit-elle brièvement.

— Pardonnez-moi. Elle devait arriver aujourd'hui et j'étais supposé la rencontrer. J'étais persuadé que vous étiez...

— Eh bien, ce n'est pas moi, fit-elle sèchement en passant son sac sur son épaule avec une pointe d'agacement.

— Je vous prie d'excuser mon intrusion, dit-il encore tandis qu'elle s'éloignait.

A Mrs. Stacy qui avait assisté à cette brève rencontre, il expliqua :

— Je l'ai prise pour quelqu'un d'autre. Savez-vous qui elle est ?

— Elle n'est pas descendue ici, mais elle prend ses repas chez nous. J'ai essayé de me montrer hospitalière, mais elle garde ses distances.

— C'est le moins que l'on puisse dire.

Qwilleran paraissait content de lui en retournant à sa table où le petit déjeuner avait été servi.

— A quoi rime cette performance ? demanda Riker.

— Je voulais seulement l'entendre parler. Je pensais qu'elle pouvait appartenir au SBI et faire une enquête sur le randonneur, mais elle me semble davantage libre penseuse que bureaucratique.

— Pour votre information, Qwill, cette affaire est close. Ce sera dans le journal demain. La mort est attribuée à des causes naturelles.

— Hum ! fit Qwilleran.

Il y avait davantage dans cette affaire que la cause de la mort, selon Andrew Brodie. Il saisit sa fourchette et attaqua ses œufs frits par les bords brûlés, la tranche de jambon et les pommes de terre réchauffées, le tout nageant dans la graisse sur une assiette froide.

— J'en suis arrivé à la conclusion que vous aimez seulement la nourriture, bonne ou mauvaise, dit

Riker. Quand nous étions gosses, vous aviez toujours l'air de mourir de faim, quoi que vous ayez devant vous.

— Je fais la différence entre la bonne cuisine et la mauvaise, admit Qwilleran, mais je m'adapte. J'ai appris qu'ils ont des difficultés à trouver des cuisiniers pour le week-end. Avez-vous fini de tricoter vos chaussettes, Arch ?

— Sapristi, je ne suis même pas encore arrivé au talon de la première chaussette !

— Combien y a-t-il d'hommes au club de tricot ?

— Quatre et demi. Je n'en suis pas encore membre à part entière. Je n'aurais pas dû laisser Barb Ogilvie exercer une telle pression sur moi, mais elle est jeune, blonde et a des yeux doux d'agnelle. A propos, Millie prépare un ragoût d'agneau et invite des célibataires à dîner demain soir. Pourquoi ne viendriez-vous pas vous joindre à nous ? Lisa Compton sera là parce que Lyle a une conférence à Duluth. Roger viendra parce que Sharon et les enfants vont se rendre avec une bande d'écoliers en visite organisée dans un musée de Lockmaster.

— A quelle heure ?

— A six heures, pour l'apéritif. Ils viennent tous directement de leur travail. Quel effet cela fait-il d'être en vacances ?

— Quelles vacances ? grogna Qwilleran. Rentrez chez vous lire votre journal.

Une invitation à dîner des Riker était toujours très appréciée et Qwilleran se sentit tenu d'offrir un cadeau à Mildred. Quelque chose de chez *Elizabeth's Magic* où il pourrait également boire un café supérieur au brouet peu savoureux de l'hôtel. Il se fraya un chemin à travers la foule des vacanciers du dimanche matin dans Oak Street et trouva Elizabeth sortant de sa boutique malgré les clients qui entraient et sortaient.

— Qwill, avez-vous appris la tragique nouvelle ? cria-t-elle avec des sanglots dans la voix. Un membre de l'équipage d'un des bateaux engagés dans la régate est tombé par-dessus bord et s'est noyé. Il n'avait que dix-neuf ans et allait entrer à Yale !

— Le connaissiez-vous ?

— Un peu. Mais je connais très bien sa famille. Son père est le P-DG d'une grande société de Chicago. Ce qui est affreux est qu'il était excellent nageur, mais on n'a pu le retirer de l'eau assez vite. La température du lac est mortelle, comme vous le savez. Ils ont décrit un cercle et l'ont repéré en moins de trois minutes, mais l'hypothermie avait fait son effet et il était en état de choc. Quand on l'a sorti de l'eau, il était inconscient et on n'a pas pu le ranimer. Tout le monde est effondré !

— C'est une triste nouvelle, dit Qwilleran. Les marins connaissent les risques, mais on ne s'attend jamais à ce que cela se produise.

— Je pensais que vous voudriez le savoir. La plupart des gens ici ne se sentent pas concernés par les habitants de Grand Island, à moins qu'ils ne soient là pour dépenser leur argent, dit-elle avec amertume. Mon frère vient me chercher pour aller dans l'île.

— Puis-je faire quelque chose pour vous ? demanda-t-il.

Pendant un bref instant il vit là une excuse pour reporter sa propre sortie en bateau.

— Merci, Qwill, mais j'ai demandé à Kenneth de s'occuper des clients et Derek viendra à deux heures et demie. Je dois me hâter vers le port maintenant.

Qwilleran lui adressa un hochement de tête de sympathie et elle s'éloigna rapidement.

A l'intérieur de la boutique le grand étudiant blond, soudain promu du rôle de magasinier à celui de directeur, savourait ses nouvelles responsabilités. Il plaisantait avec les clients — surtout avec les jeunes — et répondait aux questions sur la marchandise comme s'il savait de quoi il parlait. Il acceptait l'argent liquide ou les cartes de crédit, jonglait avec l'ordinateur, enveloppait les achats convenablement mais disait qu'il ne faisait pas de paquet-cadeau. Qwilleran, qui avait décidé d'acheter des runes pour Mildred, le mit à l'épreuve.

— Que représentent ces cailloux ? demanda-t-il.

— Certains vieux types les ramassent sur la plage et les meulent jusqu'à ce qu'ils soient bien polis, expliqua-t-il, puis d'autres vieux types peignent des lettres magiques dessus. Vous pouvez vous en servir pour dire la bonne aventure. Il y a un petit livre pour vous expliquer comment procéder.

— Vous a-t-on déjà dit la bonne aventure ?

— Ouais. Elizabeth prétend que je vais gagner beaucoup d'argent si j'utilise ma cervelle autant que mes muscles.

— Je vais en prendre un jeu, décida Qwilleran.

Mildred saurait comment les faire parler. Elle s'y connaissait en graphologie, savait lire les lignes de la main et utiliser un jeu de tarots, mais ne le faisait jamais en présence de Riker.

Il déposa son cadeau dans la camionnette et descendit la jetée jusqu'au *Viewfinder*. C'était un élégant yacht de croisière blanc avec une coque en V et un cockpit ouvert. Bushy, de toute évidence très fier de lui, attendait sa réaction.

— Belle embarcation, dit Qwilleran. Vaste espace de pont. Quelle est la puissance du moteur ? Combien y a-t-il de couchettes ?

Bushy montra le poste de pilotage pour deux personnes, la surface de rangement bien organisée, et les aménagements sous le pont : quatre couchettes, des toilettes astucieuses, un coin cuisine équipé avec réfrigérateur, réchaud et évier.

— J'ai dû travailler dur pour m'offrir ce bijou, avoua Bushy.

Les deux hommes s'installèrent derrière le pare-brise et le bateau glissa lentement sur le lac pour sortir du port et prendre de la vitesse en arrivant au large.

— Ce rafiot marche vraiment bien, dit Qwilleran.

— Il file comme le vent, sourit Bushy avec fierté.

— Il y a une bonne visibilité.

— Avez-vous remarqué le compas et le sonar ?

— Quelle est notre destination ? s'enquit Qwilleran tandis que le bateau filait vers le grand large.

— La circulation est plus dense le dimanche après-midi, mais j'ai pensé que ce serait le bon moment pour aller au-delà du phare.

Il désigna des îles avec des bancs de sable dont il connaissait les noms.

Près de Pirate Shoals, ils repérèrent un yacht de croisière et un canot automobile amarrés ensemble, bord contre bord.

— Qu'est-ce que cela ? demanda Qwilleran.

— On dirait une sorte de coup fourré. Prenez les jumelles, Qwill, et essayez de voir quelque chose.

Fixant les jumelles sur ce curieux tête-à-tête, il déclara :

— Il n'y a personne de visible sur aucune des deux embarcations. Peut-être sont-ils en bas à la cuisine occupés à préparer des sandwiches jambon-salade-tomate.

— Ha, ha ! fit Bushy avec dérision. Pouvez-vous déchiffrer un nom sur le yacht ?

— Il me semble que l'on peut lire *Suncatcher*. Cela vous rappelle-t-il quelque chose ?

— Non. Mais je ne flâne pas autour des marinas. Le bateau peut aussi venir d'un autre port. Pas de cannes à pêche en vue ?

— Il y en a une sur un support, et elle bouge. Ils

ont une prise, mais ils ne veulent pas laisser brûler le bacon.

— Je vais faire le tour afin que vous puissiez lire le nom du canot automobile.

C'était une embarcation plus ancienne et beaucoup moins élégante que le *Suncatcher*. Son nom était *Fast Mama*.

— Oh ! Oh ! fit Bushy.

Il n'y avait aucune plaque d'immatriculation visible, omission qui rappela à Qwilleran le jour où il avait fait une incursion sur le lac alors qu'il était nouveau venu dans le pays. A l'époque, le *Minnie K* était un vieux rafiot ancré dans les marais parce qu'il n'avait pas été inspecté et qu'il opérait illégalement.

— Éloignons-nous avant qu'ils ne pensent que nous sommes des journalistes de la presse à scandale et se mettent à tirer sur nous, dit Qwilleran.

Le *Viewfinder* s'éloigna lentement et quelques minutes plus tard ils passèrent à l'extrémité sud de Breakfast Island qui était retournée à son état sauvage naturel après une vaine tentative de développement de l'île. Plus loin le long de la côte l'île changeait de nom et devenait Grand Island, où il y avait une marina avec des yachts de plaisance et des voiliers de Chicago. Au-delà se trouvaient les cottages princiers des estivants du Pays d'En-Bas — ceux qui venaient faire des incursions à Mooseville et dépenser leur argent à *Owen's Place* et chez *Elizabeth's Magic*. A l'extrémité nord se dressait le phare sur un promontoire rocheux, site de tant de naufrages. Maintenant, il y avait des bouées sonores qui éloignaient les embarcations des dangers sous-marins.

— Voilà où nous allons jeter l'ancre, décréta Bushy.

Les pâtés étaient une nourriture facile à manger pour les piques-niques et les propriétaires du *Pâtés Gâtés* avaient ajouté des boîtes individuelles de jus de tomate, des pommes, des gâteaux à la noix de coco ainsi qu'un thermos de café.

— Pour un marin d'eau douce de Lockmaster, Bushy, vous vous débrouillez bien sur ces vastes eaux, dit Qwilleran.

— Vous vous trompez à mon sujet, Qwill. Je suis né et j'ai grandi près du lac. Je suis allé m'installer à Lockmaster après mon mariage. Mais croyez-moi, c'est bon d'être de retour ici. J'ai une passion pour la pêche et le yachting. Vous l'ignorez probablement, mais ma famille était dans la pêche industrielle depuis des générations, avant que mon grand-père vende l'entreprise familiale aux Scotten. Il me parlait toujours de la pêche au hareng dans les années 20 et 30. Ils utilisaient des bateaux en bois et des filets en coton — et ni sonar ni radiophonie. Vous ne croiriez jamais ce que les pêcheurs pouvaient endurer en ce temps-là.

— Racontez-moi ça, dit Qwilleran, toujours en quête des histoires des autres.

— Eh bien, les pêcheries Bushland expédiaient des caques de cent livres de harengs séchés et salés au Pays d'En-Bas, le sel étant le seul conservateur à cette époque, avant la réfrigération. Et voici un point intéressant : les caques allaient en Pennsylvanie, en Virginie-Occidentale et autres États producteurs de charbon où les mineurs vivaient pratiquement de harengs. Ils les achetaient quatre *cents* la livre. Les pêcheurs recevaient un penny par livre et travaillaient d'arrache-pied pour le gagner. Ils se levaient avant le jour et naviguaient sur le lac par tous les temps dans des bateaux non pontés, tirant de lourds filets jusqu'à épuisement, remplissant les cales de poissons et se précipitant à terre pour le préparer. Parfois ils travaillaient la moitié de la nuit pour saler les poissons, les mettre dans les barils et charger les wagons de fret avant que la locomotive ne les embarque.

— J'espère qu'ils n'utilisaient pas d'araignée[1].

— Aucun risque! Ils employaient des filets à grosses mailles appelés « pond » — qui s'écrivait « pound ». Je n'ai jamais découvert pourquoi c'était prononcé ainsi. Au printemps, après le dégel, ils enfonçaient des pieux dans le fond du lac — des troncs d'arbres mesurant plus de quinze mètres — et ils les enfonçaient à force d'homme, c'était avant l'utilisation des derricks au pétrole. Après quoi, ils plaçaient leurs filets et allaient les relever tous les jours afin de ramasser leurs prises. Quand le froid arrivait, ils retiraient les pieux avant que la glace les écrase. Ils passaient l'hiver à ravauder les filets et à réparer les bateaux.

— Je comprends pourquoi votre grand-père a abandonné ce travail.

— Ce n'était pas pour ça. Un travail dur ne lui faisait pas peur. C'est une histoire très triste. Il perdit son père et ses deux frères aînés dans un accident bizarre survenu sur le lac. Ils étaient sortis sur un bateau de dix mètres, le *Jenny Lee*, pour lever les filets. Le temps était beau. De nombreux bateaux étaient dans les zones de pêche, tous en vue les uns des autres. Soudain, le *Jenny Lee* disparut. Une minute plus tôt tous les autres pêcheurs pouvaient le voir; la minute suivante le bateau n'était plus là. Les autorités le recherchèrent pendant une semaine. On n'a jamais retrouvé les corps, et même pas une épave au fond de l'eau. Tout le village de Fishport a porté le deuil. C'est resté un mystère non résolu.

Qwilleran regarda Bushy fixement.

— Est-ce là un fait avéré?

— C'est la pure vérité. Il y a une plaque commémorative au cimetière en leur honneur. Quelqu'un a même écrit une complainte à ce sujet.

1. Filet de pêche à mailles carrées. *(N.d.T.)*

— Y a-t-il eu des spéculations sur ce qui avait pu se passer ?

— En tout genre, mais il n'y a eu qu'une seule conclusion et elle ne va pas vous plaire, Qwill. Cela aurait un rapport avec les Visiteurs — du genre : ils pourraient faire se volatiliser un bateau de dix mètres. On parlait beaucoup de Visiteurs de l'espace en ce temps-là, voyez-vous. Des boules de lumières vertes dans le ciel... parfois des objets brillants non identifiés au cours de la journée. Tout cela se passait avant ma naissance et on en parle encore, certaines années plus que d'autres.

Qwilleran aurait bien voulu croire son ami, mais il trouvait cela difficile à avaler.

— Vous m'avez un jour parlé d'un incident dont vous auriez été le témoin alors que vous étiez sorti pêcher, dit-il.

— Ouais, c'était avec mon vieux bateau. J'étais tout seul sur le lac, je pêchais la perche et tout d'un coup, j'ai éprouvé l'étrange sensation que je n'étais plus seul. J'ai levé la tête et j'ai vu un disque argenté avec des hublots ! J'avais mon appareil photo avec moi, mais avant que j'aie pu réagir, la « chose » avait disparu. Vous savez que leur vitesse a été évaluée à près de trois mille kilomètres à l'heure...

Qwilleran écoutait avec son habituel scepticisme bien qu'il s'efforçât de n'en rien montrer. « Voyons, pensait-il, je suis là au milieu du lac avec un type à moitié fou ! Méfiance ! » Posément, il demanda :

— Ont-ils accéléré de zéro à trois mille en un clin d'œil ? Ou bien croyez-vous qu'ils ont une technologie qui les rend invisibles à volonté ?

— Tout le mystère est là, dit Bushy. De toute évidence, leur technologie est très en avance sur la nôtre. J'ai aussi ma propre théorie. Aimeriez-vous l'entendre ?

— Je vous écoute.

— Vous savez combien le rivage a changé cet été. Non seulement devant votre chalet, mais sur des kilomètres de côte vers le nord. Le sable a été soufflé et transformé en dune de Fishport à Purple Point. Très bien... Maintenant, revenons au moment où le vaisseau spatial était juste au-dessus de ma tête. Quand il a disparu, il y a eu une sorte de tourbillon plus puissant que tous les ouragans que j'aie jamais connus. Ce fut une rafale d'une rare violence qui ne dura qu'une seconde ou deux.

— Suggérez-vous qu'un ou plusieurs vaisseaux de l'espace ont suivi la ligne du rivage et roulé le sable comme une carpette ?

— Vous y êtes ! J'ai envoyé une lettre au journal pour raconter mon histoire. Elle n'a jamais été publiée.

Qwilleran émit une platitude qui semblait appropriée et peu compromettante :

— Nous avons tous tendance à nier ce que nous ne pouvons expliquer et ne voulons pas croire.

— Exactement, dit Bushy d'un air triomphant qui fut suivi d'un silence circonspect.

Qwilleran attendait la prochaine révélation.

— Je ne sais pas si je dois vous raconter cela, dit finalement le jeune homme, c'est confidentiel... Mais Roger ne m'en voudra pas de vous mettre au courant.

Qwilleran hocha la tête. Tous les trois étaient devenus très liés depuis l'expérience de l'île aux Trois Arbres.

— Eh bien, Roger a accès au bureau du shérif, comme vous le savez... et il y a quelque chose de bizarre à propos du corps de ce randonneur qui a été retrouvé. Il a été expédié au médecin légiste de l'État, mais ils n'ont pas eu de réponses aux questions qui étaient soulevées. Naturellement, ils ne l'admettent pas. Ils disent que l'affaire est classée... Alors, voici mon point de vue : le corps a été retrouvé dans la dune de sable qui vient de se former... aussi, en ajoutant deux plus deux...

— Je vois ce que vous voulez dire, murmura Qwilleran, ce qui signifiait juste cela et rien d'autre.

Il aurait pu révéler qu'il avait trouvé le corps dans la dune. Mais il dit simplement :

— Bushy, ce fut une fort belle sortie, très instructive. Merci de m'avoir invité. Votre bateau est un bijou.

Les deux hommes étaient pensifs tandis que le *Viewfinder* revenait au port. Devant Pirate Shoals, le *Suncatcher* et le *Fast Mama* avaient mis fin à leur tête-à-tête et s'étaient séparés. Les skippers du dimanche après-midi étaient nombreux sur le lac. Qwilleran fut heureux de retrouver la terre ferme.

En retournant au chalet, il avait hâte de retrouver la sérénité et l'équilibre d'une scène domestique et il reçut un accueil de queues dressées et de caresses sur les chevilles. Koko s'était installé sur les étagères de livres. Il avait reniflé les titres et délogé un ouvrage qui était un subtil rappel qu'ils avaient droit à une session de lecture du dimanche après-midi. C'était une nouvelle de Mark Twain, *Un conte de cheval*, au sujet d'un cheval de l'armée appelé Soldier Boy qui avait sauvé une jeune fille des loups. C'était un bon choix, conduisant à des effets sonores qui exciteraient les siamois : hennissements, gémissements, lamentations, ébrouements et naturellement hurlements d'une meute de loups. Qwilleran réalisait fort bien tout cela et donna ainsi un tour mélodramatique à son récit.

CHAPITRE IX

Le lundi matin, Qwilleran faxa sa critique théâtrale pour l'édition du jour et « la Plume de Qwill » pour celle du mardi. Il se mit alors à réfléchir à sa prochaine chronique du vendredi. Pour lui, cet enchaînement sans fin était à la fois le défi et la fascination du journalisme. Le travail n'était jamais fini. Il y avait toujours une autre date limite à respecter. Il se souvenait des salles de rédaction au Pays d'En-Bas où il y avait toujours un autre scandale, une autre guerre, un autre match, un autre incendie, un autre meurtre, une autre élection, un autre procès, un autre héros, un autre avis de décès, un autre 4 Juillet.

A présent, à six cents kilomètres au nord de partout, il considérait sérieusement la possibilité de traiter des sujets tels que le nombre des vieilles chaises à dossier galbé du comté, ou la possibilité de filer des poils de chat. Ses vieux amis des clubs de la presse ne le croiraient jamais... Quelle importance ? Il savourait sa vie et quand Polly serait de retour du Canada, il l'apprécierait encore davantage.

Sachant que les fermiers se levaient aux aurores, son premier geste le lundi matin fut d'appeler Alice Ogilvie au ranch des moutons. Il se souvenait d'elle telle qu'il l'avait vue sur le char : vêtue comme une femme de pionnier d'une longue robe flottante avec un mouchoir blanc autour du cou et un modeste capuchon sur ses cheveux noirs sévèrement tirés en arrière.

La femme qui lui répondit au téléphone avait une voix pleine de vigueur, indice d'une personnalité extravertie.

— Ce sera très amusant, déclara-t-elle. Pourquoi ne viendriez-vous pas ce matin ? Apportez des poils de chat avec vous, si vous voulez. Pour une livre de poils de lapin angora on peut tirer environ quarante mille mètres de fil. Aussi... qui sait ?

Qwilleran oublia le cadeau de Noël d'Arch sur-le-champ : il faudrait environ quarante ans pour accumuler à peine une demi-livre d'impalpable duvet que Koko et Yom Yom avaient l'habitude de perdre. Il accepta quand même l'invitation d'aller prendre le café avec des beignets et se rendit au ranch dès qu'il eut faxé sa copie. L'élevage se trouvait sur Sandpit Road à trois kilomètres au sud de la plage. Ayant écrit des articles sur l'élevage des moutons dans le passé, il savait à quoi s'attendre : des collines rocheuses peu propices à la culture... des barrières séparant le terrain en pâturages... des agneaux paissant paisiblement... des chiens de berger dirigeant les troupeaux d'un pâturage à l'autre. C'était un peu comme le jeu des chaises musicales offrant aux moutons un changement de régime ou une période de repos avec de l'ombre, de l'eau et le sel nécessaire. Des béliers paresseux occupaient un enclos, des agneaux dotés d'hyperactivité un autre.

De plus, Qwilleran savait que la scène pastorale était supervisée par un ordinateur depuis la ferme. Les mouvements du troupeau n'étaient pas seulement organisés, mais les bêtes étaient également surveillées individuellement. Immédiatement disponibles, on avait les informations nécessaires sur l'histoire de la reproduction, l'agnelage, le sevrage, la croissance, la qualité de la toison, la génétique des bêtes et même les particularités individuelles, telles que le fait de sauter les clôtures.

« Ce qui m'a le plus impressionné, avait-il écrit, est la magie de la laine : comment un mouton d'apparence replète peut émerger de la tonte aussi maigre qu'un coucou et arriver à faire tout repousser durant les mois de froidure. »

La vieille ferme tentaculaire des Ogilvie ne donnait aucun signe d'être connectée de la sorte. Quand Qwilleran arriva, il fut accueilli par Alice en jeans et chemise de western. Elle le poussa vers la porte de côté pour entrer dans une vaste cuisine avec une table de trois mètres de long entourée d'une flopée de chaises à dossier galbé.

— Belles chaises, admira-t-il. C'était bien vu de les utiliser sur le char.

— C'est une idée de ma fille. Elles viennent des grands-parents de mon mari. A l'époque, les fermiers avaient des familles nombreuses et un personnel important à nourrir. Je ne sais combien de fois ces chaises ont été vernies et cannées. Elles sont toujours utilisées et attirent autant l'attention.

— Et où avez-vous trouvé un berger qui joue de la flûte comme Rampal ?

— N'est-il pas excellent ? Il est professeur de musique au lycée de Mooseville et a adoré le défilé. Je me demande pourquoi tout le monde aime figurer dans une parade ?

Ils s'installèrent à une extrémité de la grande table pour boire le café et manger des beignets. C'étaient de véritables beignets préparés le matin même car Alice en emportait à la pause-café de l'église. Qwilleran dut contrôler son enthousiasme et sa légendaire gourmandise.

— Je suis en train de lire *Loin de la foule déchaînée*, dit-il, et je finis par m'identifier au berger.

— Ma famille a usé trois exemplaires de ce livre au fil des ans, répondit-elle. Comment avez-vous réagi à la tragédie de la falaise ?

— Avec un choc et une impression d'horreur.

— Il est surprenant de constater combien le métier de berger a peu changé en deux siècles. Nous utilisons toujours des chiens de troupeau. Le berger s'installe toujours dans la bergerie quand les brebis mettent bas. Nous appelons toujours le troupeau en criant : « Ovey ! Ovey ! » Savez-vous que ce cri vient du mot latin pour « mouton » ? Il a été employé par plus de huit mille générations. Savez-vous que les brebis ont une tranquillité séculaire qui déteint sur les humains ? Je ne peux m'empêcher d'aimer « les filles », comme nous les appelons, et leur air de douceur tranquille et confiante.

— Je suis heureux d'avoir apporté mon magnétophone, dit Qwilleran en se préparant à orienter la conversation sur le sujet de la filature. Que filez-vous en dehors de la laine ?

— De la soie, du coton, de l'angora provenant des lapins et même des poils de petits chiens mêlés à d'autres fibres. C'est plus résistant pour les chaussettes, voyez-vous... Désirez-vous voir l'atelier de filature où je donne des leçons ?

Le rouet qui avait figuré sur le char attira son regard. Il avait une roue à dix rayons, un banc incliné et une pédale au-dessous, ainsi qu'une bobine sur le côté. Ce rouet avait plus de cent ans, précisa Alice. Du bois de pin, de cerisier, d'érable et de peuplier avait servi à sa fabrication.

Sur une table se trouvait une épaisse toison, exactement telle qu'elle avait été enlevée à la brebis le jour de la tonte — blanche à l'intérieur et salie à l'extérieur. Alice expliqua que la laine serait lavée avant d'être cardée et étirée comme de la barbe à papa puis brossée pour pouvoir être filée.

— Il y a des fileuses et des tricoteuses qui ne travaillent que sur des matériaux filés à la main.

Elle fit une démonstration sur un rouet contemporain plus pratique avec des têtes mieux rassemblées et des bobines convenables. Pédalant avec son pied déchaussé, elle saisit des poignées de laine pour alimenter la machine avec un mouvement rythmique des deux mains, tout en continuant à parler des proportions, de la tension du fil et de la texture. Elle invita Qwilleran à faire un essai.

— Non merci, dit-il, je tiens à préserver mon innocence.

Il pensa qu'elle s'exprimait comme quelqu'un qui avait prononcé de nombreuses conférences sur ce sujet.

— Les femmes filaient la laine, tissaient pour confectionner des vêtements pour toute la famille, préparaient les repas, faisaient la lessive dans le ruisseau, transportaient des seaux d'eau de la source et parcouraient des kilomètres à pied pour se rendre à l'église le dimanche.

Par la fenêtre ils virent arriver un pick-up qui s'arrêta avec brusquerie. Une portière claqua et des pas retentirent dans le hall.

— C'est ma fille, annonça Alice. Elle est allée à Pickax renouveler son permis de conduire.

Celle-ci apparut dans l'embrasure de la porte, sourcils froncés.

— Qwill, dit Alice, voici ma fille Barbara.

— Appelez-moi Barb, dit la jeune femme avec une moue. Je déteste Barbara.

Sa mère haussa les épaules avec un sourire.

— Quel que soit son nom, c'est ma fille unique et c'est une tricoteuse de talent. Elle va tout vous expliquer sur sa spécialité. Je dois aller porter ces beignets à l'église.

Dès que sa mère fut partie, Barb déclara :

— J'ai besoin d'un verre. J'ai dû attendre deux heures au bureau des permis de conduire. Il y avait vingt personnes qui faisaient la queue et seulement un type au guichet ! Que buvez-vous ?

— Un ginger ale, ou quelque chose de raisonnablement similaire.

— Eh bien, je vais prendre du rhum avec du jus d'orange.

Elle avait de longs cheveux blonds, raides, et les yeux provocants dont Riker avait parlé. Ils étaient lourdement fardés et elle les tournait de droite à gauche en parlant — avec un demi-sourire quand Qwilleran lui fit des compliments sur sa veste tricotée. Portée sur un short et un chemisier blancs, elle était blanche avec un motif multicolore de feu d'artifice.

« Elle fume certainement », pensa Qwilleran en écoutant le son de sa voix rauque.

— Fumez-vous ? demanda-t-elle. Allons sous le porche, Alice ne me permet pas de fumer à l'intérieur.

Ils portèrent leurs verres sous le porche et elle s'installa sur une balancelle en croisant les jambes.

— Parlez-moi du club de tricot, demanda-t-il.

— Il est unisexe. Nous nous réunissons une fois par semaine autour de notre grande table de cuisine et nous rions beaucoup — tout en apprenant. Puis j'ai organisé une journée de tricotage en plein air pour les enfants, le samedi. Nous emportons un pique-nique et il y a plusieurs arrêts pour leur permettre de courir et d'aller jusqu'au ruisseau avant de revenir à leurs aiguilles.

— Que tricotent-ils ?

— Des chaussettes. Des chaussettes loufoques. Plus elles sont loufoques et mieux c'est. Ils adorent ça. Une chaussette est une bonne façon de commencer à tricoter. On apprend tout en les faisant et il ne faut pas beaucoup de laine.

— Qu'est-ce qui les rend si loufoques ?

Barb sauta de sa balancelle en disant :

— Je vais vous les montrer. J'en fais pour les vendre au magasin d'Elizabeth.

Elle revint avec une boîte remplie de paires désassorties dans des couleurs et des motifs extravagants : rayés, écossais, en zigzag, avec des pois de couleurs, certaines avec des revers ornés de glands.

— Les gens achètent-ils vraiment ce genre de choses ?

— Aussi vite que nous pouvons les tricoter ! Les vacanciers les achètent pour les mettre de côté afin d'en faire des cadeaux de Noël originaux et parce que c'est tricoté à la main avec de la laine vierge, cardée et filée à la main, provenant de moutons locaux. Chaque paire de chaussettes porte le nom de la brebis qui a fourni la laine.

Il la regarda interrogativement. Elle haussa les épaules.

— Quelle importance ? Les moutons se ressemblent tous si vous ne les connaissez pas personnellement. C'est juste un truc publicitaire.

Elle roula les yeux avec malice.

— Nous avons aussi des articles plus classiques en vente chez Elizabeth, des vestes, des écharpes, des mitaines, des chapeaux... Prêt pour un autre verre ?

Tandis qu'elle retournait à la cuisine, il réfléchit qu'il n'avait jamais vu ses tricots chez Elizabeth parce qu'il évitait toujours le rayon de vêtements de femme. Quand il achetait un cadeau pour Polly, Elizabeth le choisissait.

— Où avez-vous caché vos talents au cours des dernières années ? demanda-t-il quand elle revint avec les verres remplis.

— J'ai vécu au Pays d'En-Bas. Je suis revenue à la maison il y a deux hivers, fit-elle avec un haussement d'épaules de dérision.

— Et d'abord, pourquoi étiez-vous partie ?

Il avait l'impression qu'il y avait là une histoire cachée et qu'elle était assez détendue pour en parler.

Elle se laissa tomber sur la balancelle.

— Désirez-vous vraiment le savoir ?... Ma meilleure amie et moi avons décidé qu'il n'y avait pas de garçons intéressants ici, alors nous sommes parties pour la Floride. Mais il est difficile de trouver du travail là-bas. Les gens pensaient que nous repartirions dès que la neige aurait fondu dans le Nord. Ma copine savait couper les cheveux, alors elle a trouvé du travail assez facilement. Je n'ai pas eu cette chance, mais j'ai rencontré un gars cool. Il était chasseur de ballons, précisa-t-elle, les yeux brillant à ce souvenir.

— Quel genre de ballon chassait-il et en a-t-il jamais attrapé ? demanda Qwilleran avec malice.

Elle ne sut pas trop comment prendre cette question.

— Vous connaissez ces ballons à air chaud ?... Ils s'envolent et dérivent. Les pilotes ne savent jamais où ils vont atterrir. Le chasseur les suit dans un camion afin de pouvoir récupérer les passagers ainsi que l'enveloppe et la nacelle. Notre enveloppe était rouge rayée de blanc. La nacelle contenait quatre personnes debout.

— Êtes-vous devenue chasseuse, vous aussi ?

— Je travaillais pendant le week-end pour aider l'équipe. Les autres jours j'étais serveuse.

— Il me semble que le pilote a tout le plaisir et le chasseur tout le travail, remarqua Qwilleran.

— Non ! Non ! C'est excitant ! On ne sait jamais où on est, on roule pendant des kilomètres en zigzaguant partout, en s'entretenant avec le pilote par téléphone et en redoutant de terminer la promenade dans un marais.

— Si vous trouviez cela aussi excitant, pourquoi êtes-vous revenue ?

Elle baissa les yeux.

— Ma copine s'est mariée. Mon chasseur de ballons ne s'intéressait pas tellement à une campagnarde comme moi. Alors j'ai commencé à sortir avec un homme plus âgé qui m'aimait vraiment, mais... j'ai découvert qu'il était marié, alors je suis revenue à la maison... Pourquoi dois-je vous raconter tout cela ? Je suppose que c'est parce que je n'ai personne à qui me confier.

— Et votre mère ?

— Alice est trop occupée, dit-elle avec un haussement d'épaules.

— Mais vous devriez être heureuse. Vous faites un travail de création. Vous utilisez vos talents, ce devrait être satisfaisant, dit-il avec sympathie.

— Ce n'est pas suffisant. Je n'ai personne que j'aime vraiment. De ce côté-là ma vie est un fiasco.

Un camion tourna dans l'allée.

— Voilà Alice, dit-elle. Je vais vider le cendrier.

Qwilleran retourna en ville en pensant que les malheurs d'une ex-chasseuse de ballons étaient plus intéressants que la construction et le maniement de vieux rouets, bien que convenant moins bien à sa chronique.

A Mooseville, il se mit à attendre le camion livrant le journal de Pickax. L'édition du lundi comporterait sa critique théâtrale, l'annonce du classement de l'affaire du randonneur et quelques lignes sur le jeune homme de Grand Island qui s'était noyé. Il était curieux de savoir si sa remarque à Arch à propos des vingt mots sur cet accident avait fait la moindre différence. Probablement pas, jugea-t-il. Le camion de livraison était toujours en retard le lundi, un fait qu'il attribuait à « la grippe du lundi matin » qui semblait épidémique dans tous les lieux de travail en été. Heureusement il pouvait passer son temps à l'*Hôtel des Lumières du Nord*, ouvert sept jours sur sept et vingt-quatre heures sur vingt-quatre. Sa présence était semblable à un phare brillant à travers la villégiature somnolente du lundi quand la plupart des boutiques étaient fermées. On pouvait toujours acheter un magazine dans le hall, bavarder avec le réceptionniste, s'asseoir dans la véranda pour regarder la circulation du port ou prendre une collation peu savoureuse mais adéquate. Le couple qui dirigeait maintenant l'établissement faisait de son mieux. Wayne Stacy était consciencieux et sa femme compatissante. Elle préférait perdre des clients plutôt que de renvoyer le vieux cuisinier avant l'heure de sa retraite. La banalité du menu était devenue traditionnelle pour les gens du cru. Pour les vacanciers, elle était couleur locale.

Toujours surpris que le bâtiment historique n'ait pas brûlé dans un incendie ou glissé dans les eaux du port, Qwilleran gravit les larges marches en bois pour aller sous le vaste porche surplombant la Grande-Rue.

— Venez-vous déjeuner ? lui demanda Mrs. Stacy quand il traversa le hall.

Elle paraissait toujours très professionnelle dans son tailleur pantalon neutre, mais elle avait une attitude conviviale. Qwilleran était convaincu qu'elle s'intéressait davantage à son appétit qu'au fait d'encaisser un repas.

— Je prendrai peut-être un sandwich, dit-il. Que fait l'hélico au-dessus du lac ?

On apercevait au loin l'hélicoptère du shérif qui opérait de larges cercles.

— On dirait l'appel d'urgence d'un bateau. J'espère que ce n'est rien de sérieux. A propos, vous savez, la dame à qui vous avez parlé hier ? Elle est revenue deux fois.

— Elle doit aimer votre cuisine, dit-il, de façon ambiguë.

— Je n'en suis pas sûre. Elle a un appétit d'oiseau.

Qwilleran commanda un sandwich jambon-fromage et une soupe de tomate. Les journaux du lundi n'étaient toujours pas arrivés, aussi resta-t-il assis dans un des vieux fauteuils de la véranda et regarda l'activité réduite au bord de l'eau.

L'hélicoptère continuait à tourner et au bout d'un moment Qwilleran éprouva un sentiment désagréable à propos de la mission de cet engin. Il lissa sa moustache à plusieurs reprises et ses soupçons furent confirmés quand une ambulance roula vers l'extrémité de la jetée principale et attendit. Un yacht de croisière se dirigeait à grande vitesse vers le rivage. Quand il accosta, un assistant du shérif sauta sur le quai et s'entretint avec l'équipe médicale. Un fauteuil roulant fut avancé et une jeune femme en tenue de bord et casquette à visière fut transportée du bateau. Bien qu'elle ne parût pas visiblement malade ou blessée, elle fut conduite en fauteuil roulant jusqu'à la porte de service de l'hôtel, au niveau inférieur.

A ce moment-là, la curiosité de Qwilleran l'emporta sur le journal du lundi. Il revint dans le hall à temps pour voir la porte de l'ascenseur s'ouvrir et un jeune carabin se précipiter vers le bureau directorial, l'autre restant dans l'ascenseur avec la jeune femme qui portait toujours des lunettes noires. Mrs. Stacy s'avança vers l'ascenseur et il s'ensuivit une pantomime : question, conseil pressant, refus. Finalement, elle retourna à son bureau et l'ascenseur se referma, emportant la malade et ses deux assistants.

Maintenant totalement captivé par ce mélodrame, Qwilleran resta à un endroit d'où il pouvait surveiller à la fois l'ascenseur et le bureau de Mrs. Stacy, qui se livrait à des appels téléphoniques urgents à en juger par ses gestes nerveux. Les lumières de l'ascenseur indiquaient que la cabine s'était arrêtée au deuxième étage. Peu après, Mrs. Stacy quitta son bureau et gravit l'escalier en courant tandis que l'ascenseur redescendait avec le personnel médical et le fauteuil roulant.

Cependant, les journaux n'étaient toujours pas arrivés. Le réceptionniste expliqua à Qwilleran avec un sourire de dérision :

— Le camion laisse généralement la première liasse de journaux ici, la deuxième au drugstore et la troisième à la *Taverne des Naufragés* où le chauffeur boit un verre. Aujourd'hui, il a peut-être fait la tournée en sens inverse.

Qwilleran détestait attendre son journal, mais le mystère piquait sa curiosité. Bientôt il vit Derek Cuttlebrick se précipiter dans le hall et s'élancer dans l'escalier. Après quoi Mrs. Stacy redescendit l'escalier lentement, l'air préoccupé. Qwilleran s'approcha d'elle :

— Mrs. Stacy, que se passe-t-il ? Y a-t-il quelque chose que je puisse faire ?

C'était le mot de passe qui ouvrait toujours la porte aux confidences.

— Venez dans mon bureau, Mr. Q., et prenez une tasse de café. J'ai besoin d'en boire une moi-même. Je suis si désolée pour cette pauvre femme !

Elle jeta un regard dans le hall et ajouta :

— Ah ! voici mon mari. Je suis soulagée qu'il soit de retour... Wayne ! Wayne ! Viens vite !

L'hôtelier les rejoignit et salua Qwilleran.

— Je reviens de Pickax. J'ai senti qu'il y avait de mauvaises nouvelles dès que je suis entré dans le parking avec tous ces gens qui regardaient sans rien dire d'un air désorienté. Qu'est-il arrivé ?

— L'un de nos clients s'est noyé, expliqua sa femme. Owen Bowen.

— Non !... J'espère qu'il n'a pas été assez fou pour sauter de son bateau pour nager. Je l'avais prévenu ! Mais il était toujours tellement sûr de lui. As-tu des détails ?

— Peu de chose. Lui et Mrs. Bowen étaient sur leur bateau pour leur jour de fermeture et elle a lancé un signal de détresse par radio. La patrouille du lac l'a ramenée. L'hélicoptère a fait des recherches pendant près d'une heure.

— Où est-elle maintenant ?

— Dans sa chambre. Elle a refusé de voir un médecin, craignant qu'il ne lui fasse une piqûre. Elle est méfiante quant à ce qu'elle absorbe.

— A-t-elle des amis en ville ? Ce couple n'était pas très sociable.

— Je l'ignore, dit Mrs. Stacy. Elle m'a demandé d'appeler son sous-directeur et j'ai eu beaucoup de mal à le joindre.

Wayne Stacy, qui était président de la chambre de commerce, remarqua :

— Je me demande si la chambre de commerce peut faire quelque chose pour elle. Le restaurant ne rouvrira peut-être jamais. Et après tout le mal que nous nous sommes donné, quelle malchance !

Qwilleran prit la parole pour la première fois.

— Le chef cuisinier est la cheville ouvrière d'un restaurant et Mrs. Bowen a une véritable vocation pour sa profession. Elle va peut-être décider de continuer. Derek Cuttlebrink se charge déjà des repas de midi. Il pourrait reprendre toute la journée... après la représentation de la pièce de théâtre, naturellement. Il y tient le rôle principal.

— Oui, mais cette pauvre femme aura-t-elle le cœur de continuer ? s'inquiéta Mrs. Stacy.

— Vous savez ce que l'on dit, lui rappela-t-il, le travail est une façon salutaire de faire face au chagrin, et Derek prétend que c'est une véritable fanatique de son métier. Je prédis que l'opération continuera après un hiatus convenable.

— Je l'espère. La ville a besoin d'un tel endroit. On dit en effet qu'elle est une merveilleuse cuisinière.

Qwilleran se rendit ensuite chez *Elizabeth's Magic* dans Oak Street. Bien que ce fût fermé le lundi, elle serait là, réapprovisionnant son stock et totalisant les recettes de la semaine. Ses affaires s'annonçaient bien. Elle y mettait beaucoup de dynamisme, des idées inattendues et une certaine perspicacité. Il gratta contre la vitrine et elle courut ouvrir la porte. Ses premières paroles essoufflées furent :

— Qwill, avez-vous appris... ?

— Choquant, n'est-ce pas ? Comment l'avez-vous su vous-même ?

— Mrs. Stacy a essayé de joindre Derek et il se trouvait ici pour faire quelques travaux. Il a couru à l'hôtel.

— Va-t-il revenir ?

— Il vaudrait mieux ! dit-elle sur un ton catégorique. Il ne peut me laisser avec toute cette sciure et ce plâtre traînant partout.

Une sorte de rectangle avait été découpé dans un des murs de la boutique.

— Tout l'immeuble m'appartient, vous le savez, et mon locataire de la boutique voisine est parti. Je vais utiliser cet espace pour en faire une bibliothèque de prêt.

— Quelle idée admirable ! dit-il. Mais cette porte asymétrique est-elle intentionnelle ? Ou bien Derek avait-il un peu trop bu ?

Avant qu'elle ait eu le temps de répondre, Derek ouvrit la porte avec sa propre clef et fonça dans la boutique.

— Quel accident tragique et vraiment incroyable ! dit-il.

Tous les trois s'installèrent sur les chaises dans l'arrière-boutique tandis qu'il leur racontait ce qu'il savait.

— Ils sont partis en bateau et ont jeté l'ancre quelque part pour faire un pique-nique. Ernie a bu du vin rouge et était un peu éméchée, aussi est-elle descendue en bas faire la sieste, laissant Owen occupé à pêcher. Soudain elle s'est réveillée parce que le bateau tanguait violemment. Elle avait les mains et les pieds engourdis. Elle a eu peur.

— C'est un sentiment affreux, confirma Elizabeth. Cela m'est arrivé une fois où j'avais un peu trop bu.

— Elle a appelé Owen et il n'a pas répondu. Elle a rampé jusqu'à l'échelle sur les genoux pour monter sur le pont et il n'était pas là. Alors elle a vraiment paniqué et le sang a reflué à ses extrémités. Elle a lancé un signal de détresse par radio... C'est tout ce que je sais.

— Je l'ai vue quand on l'a ramenée à l'hôtel dans un fauteuil roulant, dit Qwilleran. Comment l'avez-vous trouvée quand vous êtes arrivé, Derek ?

— Dans un état second. J'ai dû la presser pour qu'elle me raconte l'histoire.

— A-t-elle une explication sur la disparition de son mari ?

— Oui. Il avait beaucoup bu. De l'alcool — pas seulement du vin. Elle pense que leur bateau a dû être bousculé par le sillage d'une autre embarcation, qu'Owen a perdu l'équilibre et qu'il est tombé par-dessus bord.

— C'est possible, dit Qwilleran, bien qu'une sensation dérangeante à la racine de sa moustache le convainquît du contraire.

— J'imagine qu'elle voudra vendre le bateau, dit Derek. C'était le joujou d'Owen. Ce qu'elle aime, c'est le camping-car. Elle y a tous ses livres de cuisine et c'est assez confortable, avec deux couchettes et l'eau courante. Je pense qu'elle serait heureuse d'y vivre.

— Eh bien, j'ai des obligations auxquelles je ne peux échapper, dit Qwilleran. Je vous laisse tous les deux nettoyer ce plâtre.

CHAPITRE X

Partagé entre la mauvaise nouvelle au sujet d'Owen Bowen et l'heureuse perspective de dîner chez les Riker, Qwilleran reçut un appel téléphonique qui le laissa avec des sentiments mitigés.

Wetherby Goode — dont le véritable nom était Joe Bunker —, le météorologiste de la station de radio WPKX, avait été son voisin au Village Indien et c'était un homme de bonne compagnie. Incontrôlable extraverti, il annonçait les prévisions météo en chanson ou en vers, jouait du piano à des cocktails et se vantait d'être natif de Horseradish dans le comté de Lockmaster. Comme Qwilleran il était divorcé et vivait seul — avec un chat nommé Jet Stream.

Au début de l'année, il avait parlé de sa cousine, le professeur Teresa Bunker, corvidologiste dans une université du Sud. Elle voulait produire un dessin animé sur les corbeaux et cherchait un collaborateur pour la rédaction du scénario. Dans un moment de faiblesse, Qwilleran avait dit que cela l'intéresserait éventuellement. Les corbeaux étaient des oiseaux importants dans l'environnement du comté de Moose. Ils paradaient autour de sa cour à Pickax et sur la plage à Mooseville. Ils croassaient sans arrêt dans les bois et livraient bataille aux faucons et aux geais bleus. A l'encontre des pigeons en ville, ils étaient bien tolérés et Koko les appréciait particulièrement.

Wetherby avait précisé que sa cousine viendrait rendre visite à la famille en été et aimerait rencontrer Qwilleran pour discuter du scénario. L'été avait semblé lointain à l'époque, mais maintenant il était là et Wetherby lui téléphonait pour annoncer :

— Elle arrive, Qwill, elle arrive !

— Qui arrive ? demanda Qwilleran, perdu dans ses spéculations sur la mort d'Owen et l'avenir immédiat d'Ernie.

— Ma cousine Tess ! Elle arrive en voiture. Elle est déjà en route. Je ne connais pas son itinéraire parce qu'elle doit rendre visite à des parents et d'anciennes connaissances. De plus, elle change facilement d'idée. Cependant, je lui ai donné votre numéro de téléphone au chalet afin que vous puissiez convenir d'un rendez-vous ensemble. A propos, elle connaît votre chalet. Elle rendait visite à une amie en Haut des Dunes et elles allaient se promener sur la plage et s'extasiaient devant le chalet Klingenschoen. C'était au temps où la vieille dame vivait là.

— Parlez-moi de votre cousine, demanda Qwilleran en se disant qu'il aurait dû poser cette question plus tôt.

— Eh bien, elle est un peu plus jeune que moi. C'est une grande fille, très gaie, très impulsive. Elle a été mariée autrefois avec un universitaire, mais c'est une incorrigible optimiste et il était pessimiste à part entière, alors ils se rendaient mutuellement fous.

Luttant contre ses remords, Qwilleran parvint à dire :

— Très bien. J'attends son appel.

En lui-même, il pensa : « Je peux toujours réserver un après-midi ou même une journée à la cousine de Wetherby. » A haute voix il ajouta :

— Ce sera un défi, je n'ai jamais rencontré de corvidologiste.

— Comment se passent vos vacances? lui demanda son ami. Louez-vous votre nouvelle maison d'amis aux Visiteurs de l'espace?

— Quatre-vingt-quinze pour cent sont des ballons-sondes, lancés dans l'atmosphère, et les cinq pour cent restants sont des lucioles... A propos, que boit le professeur Bunker?

— N'importe quoi, mais elle raffole du mint julep. Et appelez-la Tess. Elle aime être appelée Tess.

Qwilleran donna à manger aux chats de bonne heure et annonça :

— Je vais dîner chez Oncle Arch et Tante Mildred. Je rentrerai à la tombée de la nuit et nous nous installerons sous le porche pour regarder les étoiles.

Ils lui lancèrent un regard perplexe. Cependant, sa mère lui avait toujours dit : « Jamie, il est de la plus élémentaire courtoisie de dire à ta famille où tu vas et quand tu comptes être de retour. » Maintenant, après des décennies passées à vivre sans famille, il se sentait tenu d'étendre cette courtoisie élémentaire aux siamois. Naturellement, ils n'avaient aucune idée de ce qu'il disait, mais il se sentait mieux de l'avoir fait.

Il se mit à descendre sur la plage avec un sac fourre-tout en toile portant le logo de la bibliothèque municipale de Pickax et il s'émerveilla de l'aspect toujours changeant du lac. Ce soir, le ciel et l'eau étaient turquoise et des nuages bas à l'horizon ressemblaient à des pics de montagne. Des vagues aguichantes flirtaient avec les galets guindés de la plage. A Seagull Point, de larges ailes survolaient l'eau. Encore plus loin, les locataires des chalets installés sur leur terrasse saluaient de la main.

Arch attendait en haut de l'échelle de sable et Qwilleran lui tendit deux bouteilles de vin tirées du sac en toile.

— Qu'avez-vous d'autre dans ce sac? demanda Riker avec la curiosité naturelle d'un vieil ami.

— Ce n'est pas votre affaire, répondit Qwilleran sur le même ton.

Puis il se tourna vers Lisa Compton qui était là sans son mari et demanda :

— Comment est la vie sans Lyle ?

— Sereine, répondit-elle aussitôt.

— Qu'est-ce qu'un inspecteur d'académie fait à Duluth ? Il invente une nouvelle façon de rendre la vie dure aux professeurs ?

— En fait, ils sont en train de coordonner la politique de l'enseignement à domicile.

— Est-ce que Lyle l'approuve ?

— Il prétend qu'Abraham Lincoln l'a pratiqué, ainsi que Thomas Edison, et que cela leur a réussi.

— Ça ressemble bien à Lyle, dit Qwilleran. Pour dire la vérité, je ne sais pas comment marche l'enseignement à domicile.

— Demandez-le-moi, dit Roger MacGillivray.

Le gendre de Mildred était un pâle jeune homme avec une courte barbe noire et beaucoup d'enthousiasme.

— Nous suivons le curriculum prescrit. Les gosses reçoivent leurs cours par E-mail. Ils passent des examens en fin d'année. Ils apprennent à leur rythme et ne perdent pas de temps dans le car scolaire.

— J'aurais aimé faire mes études à la maison, dit Lisa. J'étais la seule Campbell dans une classe remplie de Macdonald et ils voulaient toujours se venger du massacre de Glencoe en 1692.

— Mais les enfants ont-ils la possibilité de se mêler à leurs pairs ? demanda Qwilleran.

— Encore mieux, dit Roger. Ils rencontrent une variété d'adultes et d'enfants de tous âges grâce à des promenades dans les champs, de petites ligues sportives, des réunions de scouts et autres activités récréatives. Par exemple, une fois par mois nos enfants emmènent leurs animaux favoris pour rendre visite aux vieilles dames pensionnaires de Safe Harbor. Ce sont des veuves de pêcheurs, comme vous le savez.

Qwilleran dit qu'il les connaissait et sortit le tissu brodé de son sac. Il voulait un conseil pour le faire encadrer et l'offrir à Polly, pensant qu'il conviendrait mieux à son appartement.

Les femmes admirèrent sa conception, le travail au petit point et les couleurs du fil (celles des siamois). Lisa déclara que sa voisine sur la plage tenait une boutique d'encadrement à Lockmaster. Mildred suggéra un cadre étroit en cèdre sombre. Puis Arch demanda :

— Tout le monde est-il au courant de la nouvelle à propos d'Owen Bowen ? Il s'est noyé cet après-midi et il n'était là que depuis quelques semaines.

Il y eut quelques murmures polis.

— Vraiment regrettable.

— Quel âge avait-il ?

— D'où venait-il ?

— Le restaurant va-t-il fermer ?

Avec un sentiment de culpabilité, Qwilleran pensa : « S'il avait été "un des nôtres", nous serions choqués, horrifiés et prêts à organiser une collecte pour sa famille. » Mais Owen était un « étranger », comme Qwilleran lui-même l'avait été avant d'hériter de la fortune Klingenschoen et avant l'avènement du *Quelque Chose du Comté de Moose*.

En guise de dérivatif, Mildred servit des beignets de courgettes avec une sauce au yaourt parfumé à l'aneth et Qwilleran lui offrit la collection de runes. Elle promit d'étudier les instructions et de lui dire la bonne aventure lors de leur prochaine rencontre. Roger espéra que les pierres annonceraient de la pluie.

— Il fait dangereusement sec. Je m'inquiète des feux de forêt, dit-il. Le Géant de sable lui-même est tourmenté. Les gens pensent entendre de lointains coups de tonnerre mais, en réalité, le vieux garçon grogne dans sa grotte.

Qwilleran, qui recherchait toujours les légendes locales pour un livre qui devait s'intituler « Contes courts et longs », demanda :

— Pouvez-vous me raconter l'histoire du Géant de sable ? J'ai justement mon magnétophone.

Il savait que Roger avait toujours un récit en réserve, ayant été professeur d'histoire avant de se tourner vers le journalisme.

— Bien sûr, dit-il, satisfait d'avoir un auditoire. L'histoire du Géant de sable est très ancienne. Les premiers explorateurs de cette région sont arrivés sur des bateaux à voile et ont installé un camp à la base d'un « haut mur de sable ». Étrangement, ils prétendirent entendre des grondements à l'intérieur de la dune et, certaines nuits, ils apercevaient une grande forme grise se mouvant parmi les arbres au sommet. Ils en conclurent que le géant vivait à l'intérieur d'une caverne dans la dune. Ils voyaient souvent des choses qui n'étaient pas là.

— Et cela continue, murmura Riker en lançant un coup d'œil à Qwilleran qui acquiesça en dissimulant un sourire.

— Au fil des années, poursuivit Roger, le Géant de sable continua à rôder et à grogner. Les gosses avaient peur d'être enlevés et conduits dans la caverne s'ils n'étaient pas sages. Le premier geste d'hostilité, cependant, ne se produisit pas avant le milieu du XIXe siècle, lorsque les riches forestiers eurent l'idée de construire de belles maisons en haut de la Grande Dune, comme on l'appela alors. Dès qu'ils commencèrent à abattre les vieux arbres, il se produisit un monumental glissement de terrain qui engloutit le camp et tua tout le monde. Les Anciens ne furent pas surpris ; ils dirent que les forestiers avaient offensé le Géant de sable. Mes grands-parents croyaient à cette histoire dur comme fer.

— Les ancêtres de ma mère y croyaient également, dit Lisa, mais pas le côté Campbell de la famille.

— Il y a une suite à l'histoire, dit Roger. Pendant environ soixante ans, plus personne n'osa toucher la Grande Dune et le comté de Moose prospéra. Puis vint l'effondrement économique. Les mines fermèrent et la navigation s'épuisa. Il n'y avait pas d'argent et peu de nourriture. Mais quelqu'un eut la brillante idée d'exploiter le sable et de l'expédier au Pays d'En-Bas pour en faire du béton pour les ponts et les grands immeubles. Aussi les autorités du comté éditèrent un permis d'exploitation de la Grande Dune, là où Sandpit Road passe maintenant. C'était un travail dangereux à cause du déplacement du sable, mais les hommes devaient nourrir leurs familles et continuèrent l'exploitation en dépit de certains accidents. Par la suite, ils tombèrent sur une poche de sulfure d'hydrogène qui avait une odeur d'œuf pourri et rendit toute la ville malade. Le permis fut révoqué et des familles entières revinrent à des repas d'orge et de navets... du moins jusqu'à l'arrivée de la prohibition et du profitable trafic d'alcool. Il n'y eut pas d'autres glissements de terrain, mais par certain temps on peut encore entendre le Géant de sable grogner dans sa caverne.

— Belle histoire, dit Qwilleran en éteignant son magnétophone.

— Je suis prête à la croire, dit Lisa.

— Le dîner est servi, annonça Mildred.

Il y avait de la bisque de homard, un ragoût d'agneau et une salade verte avec du pain croustillant. Le dessert et le café furent servis sur la terrasse. Qwilleran et Arch se remémorèrent des souvenirs de leur jeunesse à Chicago : le prénom de Qwilleran était en réalité Merlin et il n'avait jamais laissé un autre utiliser sa batte de base-ball... Le surnom de

Arch était Tubby et il s'était rendu malade en mangeant de la gomme arabique... Tous les deux avaient été envoyés chez le proviseur pour avoir posé de la colle sur le siège d'un professeur.

— C'est vous qui aviez eu cette idée, dit Qwilleran en pointant son doigt vers son vieil ami.

— Pas du tout ! L'idée venait de vous, chenapan.

La soirée se termina dans les rires, puis Qwilleran raccompagna Lisa le long de la plage.

— Avez-vous jamais vu une aurore boréale ? demanda-t-elle.

— De temps en temps. La première fois que j'ai vu ces lumières dansantes à l'horizon, j'ai été tenté d'appeler police secours.

— Avez-vous vu beaucoup de Visiteurs, cette année ?

Il savait ce qu'elle voulait dire, mais il hésita :

— Des Visiteurs ?

— Des hommes de l'espace, précisa-t-elle. Lyle les a filmés. Quand il reviendra de Duluth, nous vous inviterons à voir nos vidéos.

— Eh bien, voilà quelque chose à attendre avec impatience, répondit-il sans se compromettre.

Quand ils arrivèrent à *La Petite Maison Encadrée*, elle le présenta aux Van Roop qui étaient encadreurs.

— Ma boutique est à Lockmaster, mais nous passons des publicités dans votre journal, dit Mr. Van Roop.

— Notre nièce vous connaît, annonça sa femme. Elle est bénévole à Safe Harbor.

— Une charmante jeune femme, murmura Qwilleran.

Il laissa le modèle à encadrer et escorta Lisa jusqu'à son chalet.

Quand il rentra chez lui, les siamois attendaient leur collation d'avant coucher avec une tranquillité suspecte. Cette patience indiquait que quelque sottise avait été commise. Les cartes postales de Polly, qu'il avait laissées entassées sur le bar, étaient maintenant répandues sur le sol.

CHAPITRE XI

Le chat de Christopher Smart saluait toujours le matin *en tortillant son corps sept fois avec une élégante rapidité*. Les siamois de Qwilleran procédaient parfois à quelques tortillements en se réveillant, mais jamais plus de trois et ceux-ci étaient exécutés sur un mode alangui. Le lendemain de l'accident d'Owen Bowen, il leur donna à manger et s'adressa aux deux têtes penchées sur les assiettes de saumon rose :

— Comment se fait-il que Jeoffrey accomplissait sept tortillements et que vous n'en fassiez que trois ? Vous bénéficiez d'un régime de gourmet et de soins attentifs. Lui devait pourvoir à son propre petit déjeuner, sans aucun supplément de vitamines. Il n'avait jamais été vacciné et n'avait pas subi de tests sanguins ni de prophylaxie dentaire.

Les deux têtes continuaient à s'agiter dans un contentement muet.

En faisant dégeler le dernier petit pain à la cannelle de Doris Hawley, il lui vint à l'esprit que, l'affaire du randonneur étant classée, elle se remettrait peut-être au travail. Il lui téléphona et elle lui répondit d'une voix gaie — ce qui était bon signe. Elle avait des petits pains à la cannelle au four, lui confirma-t-elle.

— Mettez-m'en une fournée entière de côté, dit-il. Je passerai la prendre dans l'après-midi.

A Mooseville, il acheta un panier de fruits frais avant de se diriger vers Fishport. Là, il constata que Roaring Creek était réduit à l'état de gargouillis par manque de pluie et que la pelouse des Hawley avait l'air tristement assoiffée. Cependant, le sac en papier avait été retiré de la pancarte. Il frappa à la porte et la Doris Hawley qui lui ouvrit avait vingt ans de moins que celle qui lui avait fait le récit de ses malheurs à Safe Harbor. Il lui offrit le panier de fruits.

— Pour célébrer la fin d'une expérience désagréable. Vous et Magnus l'avez bien affrontée.

— Il est vraiment fou ! Il veut poursuivre quelqu'un en justice ! Je suis seulement heureuse que ce soit terminé... mais vous n'avez pas encore appris la dernière, Mr. Q. Entrez dans la cuisine et prenez une tasse de thé.

La cuisine fleurait bon le parfum des petits pains à la cannelle qui cuisaient.

— Dimanche après-midi, commença-t-elle, une femme est venue à la porte en demandant à parler aux dernières personnes qui avaient vu David en vie. Elle était son associée, dit-elle, et venait de Philadelphie pour réclamer son corps et ses biens.

— Comment était-elle ? demanda Qwilleran. Je pense l'avoir vue à l'hôtel et sur la plage.

La description de Doris correspondait à celle de son inconnue.

— Elle s'est montrée un peu raide tout d'abord, mais elle s'est adoucie quand j'ai parlé de David et dit quel gentil jeune homme il était. Il travaillait sur des ordinateurs, m'a-t-elle expliqué, mais son dada était les OVNI et il avait appris qu'il y en avait beaucoup ici.

Qwilleran tira sur sa moustache à la pensée qu'il était venu de si loin pour un si piètre résultat.

— Elle était très malheureuse à cause du SBI et de la façon dont elle avait été questionnée. On avait retiré la pellicule de l'appareil photo de David et on refusait de la lui rendre. De plus, on lui a conseillé de ne pas discuter de l'affaire — tout comme on nous l'a recommandé. Que pensez-vous des OVNI, Mr. Q. ? Magnus croit qu'ils se promènent sur le lac et dérangent notre temps.

— J'essaie de garder un esprit ouvert, dit-il. Personnellement, je n'ai jamais rencontré de véritables preuves de leur existence, mais chacun est libre de son opinion et je pense que les tentatives officielles pour étouffer l'affaire sont tout à fait absurdes.

La vérité était que Qwilleran commençait à trouver le sujet ennuyeux. Quand il revint à Mooseville, cependant, les gens étaient occupés à débattre d'un tout autre sujet : l'accident d'Owen Bowen. Il en entendit parler à la banque, en allant encaisser un chèque... à la poste, où il trouva d'autres cartes postales de Polly... au *Pâtés Gâtés,* où il se rendit pour déjeuner... et au drugstore, où il acheta le journal à deux heures.

Le patron du drugstore l'attira à l'écart.

— Juste entre vous et moi, Mr. Q., j'ai perdu un bon client quand Owen s'est noyé. Ce gars buvait. On ne servait que de la bière et du vin dans son restaurant, mais il achetait beaucoup d'alcool et toujours en litre. On raconte l'histoire en première page, mais pas toute l'histoire.

La manchette de la première page du *Quelque Chose* annonçait :

UN HABITANT DE MOOSEVILLE
PERDU SUR LE LAC

On a signalé la disparition du propriétaire du nouveau restaurant de Mooseville, lundi après-midi, après un incident inexpliqué à bord de son yacht de plaisance. Owen Bowen, quarante-huit ans, propriétaire du restaurant *Owen's Place* sur Sandpit Road, est sorti du port peu après midi. Il était accompagné de sa femme

Ernestine, vingt-sept ans, chef de cuisine au restaurant. Il avait l'intention de pêcher des perches, selon elle.

Ils jetèrent l'ancre dans un endroit où l'on dit que la perche abonde et firent un pique-nique à bord. Puis Bowen lança deux lignes à l'arrière du bateau et sa femme descendit dans la cabine pour faire la sieste. Elle se réveilla alors que le bateau tanguait violemment et constata l'absence de son mari.

Le patrouilleur du lac répondit immédiatement à son appel de détresse, mais ne put retrouver aucune trace de Bowen. L'hélicoptère du shérif a continué les recherches jusqu'à la tombée de la nuit.

Le porte-parole du bureau du shérif a déclaré : « Après des recherches et une investigation exhaustives, la conclusion est que l'embarcation de sept mètres cinquante a été prise dans le sillage d'un bateau plus gros circulant à grande vitesse ; Bowen aurait perdu l'équilibre alors qu'il surveillait ses lignes et aurait été précipité par-dessus bord. Quelques minutes dans l'eau glacée au nord du phare peuvent provoquer la mort par hypothermie. »

Owen's Place, le restaurant tenu par ce résident venu de Floride pour l'été, restera fermé jusqu'à plus amples informations.

Qwilleran emporta son journal à la *Taverne des Naufragés*. Il savait qu'il y entendrait parler de l'accident, car la taverne était la source de toutes les controverses en de telles occasions. Ce repaire de la Grand-Rue était construit comme un navire échoué et par une journée ensoleillée l'intérieur était, par contraste, aussi sombre qu'une cale de bateau. Il avança à l'aveuglette jusqu'au bar et rejoignit un assortiment de flâneurs du bord du lac.

— Que désirez-vous prendre, Mr. Q. ? demanda Fred, le barman.

— Un ginger ale, et j'aimerais aussi savoir comment préparer un mint julep. J'ai une invitée qui adore cette boisson.

C'était une bonne excuse pour sa mission d'espionnage.

— Un mint julep ? répéta Fred vaguement. On ne m'en a jamais demandé. Je vais consulter mon livre de cocktails.

Pendant qu'il feuilletait un ouvrage aux pages écornées, Qwilleran tendit l'oreille aux ragots :

— J'ai toujours pensé que ce type ne réussirait pas ici. Il n'appartenait pas au pays. Je n'aurais jamais cru qu'il se noierait.

— On ne sait pas s'il s'est noyé. Il a seulement disparu.

— Le shérif a dit qu'il était tombé dans le lac.

— Personne ne l'a vu tomber et on n'a pas retrouvé le corps.

— Peut-être a-t-il plongé pour se baigner et il s'est transformé en un instant en bloc de glace !

— Ouais, dans ce lac, un corps coule à pic et ne remonte pas.

— Je dis qu'il est bien au fond. Je dis qu'il a été renversé et qu'il est passé par-dessus bord !

— Selon moi, le shérif sait quelque chose qu'il ne dit pas

— Quelque chose qu'il craint de révéler ! On nous cache encore la vérité, comme pour la disparition du randonneur.

— Ou comme le *Jenny Lee*... Chante-nous la complainte, Fred.

— Je n'ai pas ma guitare.

— Laisse les couplets, chante seulement le refrain.

Le barman se redressa en abandonnant son livre de recettes et posa ses deux mains sur le comptoir en chantant d'une voix défaillante :

Les vagues se briseront et le vent soufflera,
Et les gens sur cette planète ne connaîtront jamais
L'honnête destin du Jenny Lee
Et de son équipage inoublié.

Les clients, composés de fermiers, de marins et de divers commerçants, applaudirent cette référence indirecte au tour de passe-passe interplanétaire et hochèrent la tête d'un air entendu.

Pendant ce temps, un homme plus âgé avec un visage buriné et une frange de cheveux blancs autour d'une tonsure rose vint s'installer sur le tabouret voisin de Qwilleran. C'était le directeur bénévole du musée des Naufragés.

— On ne vous a pas vu au musée cet été, Mr. Q. Nous avons une nouvelle exposition : des photographies des pétroglyphes du ranch Ogilvie.

Qwilleran le regarda avec surprise :

— Devrais-je en avoir entendu parler ?

— Peut-être pas. On en a peu parlé au cours des dernières années. Quand on les a découverts, cela a donné lieu à une publicité à l'échelon national. Des curieux affluaient de tous les côtés. Ils traînaient dans les pâturages et dérangeaient les moutons. Certains arrachaient même des morceaux de roche comme souvenirs. Alors Ogilvie a sévi en posant une clôture à mailles losangées autour de tout le bataclan. Mais il y a de très bonnes photos au musée.

— Intéressant, dit Qwilleran qui ne portait aucun intérêt réel aux objets archéologiques. Ressemblent-ils aux pictogrammes des premiers Américains ?

— Eh bien, il y a des inscriptions préhistoriques gravées sur la pierre, mais elles ne sont pas illustrées et ressemblent davantage à des graffiti. Les savants qui sont venus des universités les qualifiaient de « symboles mathématiques » pouvant éventuellement appartenir à une langue universelle. Par l'âge, elles sont considérées comme remontant au temps des pyramides égyptiennes. Ce qui est étrange, c'est qu'elles sont gravées selon une technologie inconnue avant le XXe siècle. Mettez ça dans votre poche et votre mouchoir par-dessus !

Qwilleran réfléchit. Les pierres pouvaient être anciennes et les inscriptions fausses.

— Que font ces roches au ranch Ogilvie? demanda-t-il.

— Le lac a reculé d'environ trois kilomètres. Les pierres étaient sur les bords du lac, il y a très longtemps, dit l'homme du musée. Au cours des siècles, elles ont été enterrées sous des tonnes de vase. Il y a environ vingt ans, nous avons eu une grande marée qui a balayé la boue des hiéroglyphes... Vous devriez venir voir les photographies au musée, Mr. Q.

L'air du lac était considéré comme salubre, mais il y avait aussi quelque chose d'insidieux dans l'atmosphère qui affectait le cerveau. Tout le monde à Mooseville parlait des Visiteurs interplanétaires, du Géant de sable, de la disparition du *Jenny Lee*, du destin inexpliqué du randonneur, du mystère des pétroglyphes et maintenant... Owen Bowen deviendrait probablement une légende de plus. Qwilleran tira sur sa moustache en quittant la taverne et fit un tour en ville pour calmer sa colère. Finalement, il se retrouva sur Sandpit Road devant le magasin d'antiquités d'Arnold. La roue couverte de rouille était en vitrine et Phreddie se tenait devant la porte vitrée sur ses pattes arrière, agitant la queue d'un air accueillant. Qwilleran entra. Comme il s'y attendait, les premiers mots d'Arnold furent :

— Eh bien, nous avons perdu notre voisin bizarre. Je pense que cet endroit porte la guigne. Croyez-vous que le Géant de sable se soit vengé sur lui ? Que pensez-vous de tout cela, Mr. Q. ?

— Je n'essaie pas de percer les mystères de cette communauté un peu folle, Arnold. Je suis seulement venu chercher ma roue.

Arnold la retira de la vitrine.

— J'aurais pu la vendre deux fois si je ne vous l'avais pas réservée.

— Bien sûr.

— Qu'avez-vous l'intention d'en faire ?

— Je vais la suspendre sur le mur de mon chalet au-dessus de la cheminée.

— Avez-vous besoin d'aide ?

— Merci, je ne le pense pas. Il s'agit seulement de planter un clou, n'est-ce pas ?

— Deux clous, à quelques centimètres l'un de l'autre.

Qwilleran dit qu'il allait chercher sa camionnette garée derrière la banque.

Sur le chemin de la banque, il s'avisa qu'il n'y avait pas de clous au chalet — ni même de marteau, à sa connaissance. Tante Fanny lui avait laissé une fortune, mais rien d'aussi pratique qu'un marteau. Il fit un détour pour passer chez le quincaillier. Là, il se pencha sur un casier tournant à quatre compartiments contenant des clous en vrac avec les prix affichés à la livre.

— Puis-je vous aider ? demanda Cecil, surpris de voir Qwilleran à ce rayon.

— Oui, je suis à la recherche de deux clous, mais je ne sais pas quel genre.

— *Deux* clous ?

— Oui, j'ai acheté une vieille roue que je vais suspendre au-dessus de la cheminée.

— Quel genre de roue ? De quelle largeur et de quel poids ? Il vaudrait mieux en parler à notre spécialiste en construction. Il avait l'habitude de bâtir des maisons... Unc ! Nous avons un sérieux problème technique.

Le vieil oncle s'approcha du casier et entra en discussion avec Cecil, évaluant le genre de mur, son épaisseur, le nombre de rayons de la roue et sa largeur. Pendant ce temps, Qwilleran étudia la carte des clous et découvrit qu'il y avait près de mille cinq cents clous de deux centimètres et demi dans une livre. Après quelques recherches et avec un peu d'esprit, il pourrait concocter une chronique pour « la Plume de Qwill » sur ce sujet. Pourquoi disait-on « un clou chasse l'autre » ? D'où venait l'expression « river son clou à quelqu'un » ?

— Combien vous dois-je ? demanda-t-il quand les experts eurent pris leur décision.

— Rien du tout, dit Cecil.

— C'est généreux de votre part... mais je dois aussi acheter un marteau.

— Prête-lui-en un, dit le vieil homme.

Les deux boutiquiers raccompagnèrent leur client jusqu'à la porte. Cecil demanda :

— Pouvez-vous croire que nous avons perdu Owen ? On devrait limiter la vitesse sur le lac et donner des amendes sévères aux skippers irresponsables.

— S'il n'avait pas été imbibé d'alcool, ce ne serait pas arrivé, dit le vieil homme.

— Comment va sa femme ? demanda Qwilleran. Quelqu'un le sait-il ?

— Elle se porte mieux sans cette queue de cheval, dit le vieil homme, utilisant une locution péjorative du terroir.

Dans un éclair, une idée frappa Qwilleran. Comme après un coup assené sur la tête avec un marteau, il vit positivement trente-six chandelles... Koko connaissait la mort d'Owen avant qu'elle ne se produise, et après. Sinon pourquoi ce soudain intérêt pour *Un conte de cheval*[1] ? Le lien entre le titre du livre (que Koko ne pouvait lire), et l'épithète attribuée

1. Jeu de mots entre *tale*, « conte », et *tail*, « queue ». *(N.d.T.)*

à Owen Bowen (dont Koko n'avait jamais entendu parler) aurait semblé tiré par les cheveux pour quiconque d'autre que Qwilleran, qui avait déjà été le témoin des associations sémantiques du chat. Bien que les communications de Koko fussent de pures coïncidences, elles se révélaient toujours exactes, parfois prophétiques.

Puis Qwilleran eut un doute. Se pouvait-il qu'il succombât à la folie de Mooseville ? Tout le monde ici paraissait s'y laisser prendre ! Il devait s'en sortir.

CHAPITRE XII

Suspendre une roue d'un mètre vingt au-dessus de la cheminée à trois mètres cinquante du sol n'était pas une tâche aisée, et Qwilleran l'entreprit le mercredi matin alors qu'il était frais et dispos. (Koko était également frais et dispos et prêt à se mêler de tout.) D'abord, il fallut manœuvrer pour transporter l'échelle haute de deux mètres cinquante de la cabane à outils à travers le sentier étroit entre une double haie de buissons épais et de cerisiers sauvages, puis la glisser par la petite porte cintrée de la cuisine pour la faire entrer dans le chalet.

Yom Yom se réfugia sous le divan et resta invisible pendant le reste de l'opération. Koko inspecta chaque centimètre de l'échelle en quête de vices cachés. Qwilleran s'assit pour boire une tasse de café. Jusque-là, tout allait bien.

Ensuite, Koko prit son poste d'observation sur la cheminée en regardant l'homme se battre avec ce grand objet rond, l'appuyer de façon précaire sur la poutre horizontale avant de redescendre chercher un crayon, deux clous et le marteau emprunté. A ce point, le chat inspecta la rouille dont la roue était couverte de manière si active qu'il dut être enfermé sous le porche pendant que Qwilleran buvait une autre tasse de café.

Cela fait, il grimpa de nouveau sur l'échelle, évalua l'espace nécessaire et fit deux marques au crayon sur le mur avant d'enfoncer les clous assez droit et de suspendre la roue. Tandis qu'il était en haut de l'échelle, il remarqua une fissure sur la poutre de la cheminée taillée à la main et qui traversait la pièce dans toute sa longueur. Ces vieilles poutres en bois craquaient parfois au milieu de la nuit avec un bruit qui ressemblait à un coup de pistolet. Ce n'était jamais une fente sérieuse, seulement une jolie crevasse. En fait, un siècle de tels craquements ajoutait un certain charme à la maison. La fissure qui se trouvait sur le manteau de la cheminée était juste assez profonde pour y loger des cartes postales. Plus d'une douzaine étaient arrivées du Canada avec un message griffonné à la hâte par Polly. Ainsi rassemblées, elles formaient une frise de plus d'un mètre de long.

Polly et sa sœur étaient allées voir quatre pièces de théâtre, *Œdipe roi, Macbeth, La Commandante Barbara* et *De l'importance d'être constant.* Les cartes représentaient un masque grotesque utilisé dans les drames grecs... le classique portrait de Shakespeare avec sa barbe pointue et son début de calvitie... un portrait de Bernard Shaw... et la caricature d'Oscar Wilde par Toulouse-Lautrec.

D'autres cartes avaient été expédiées en cours de route : les chutes du Niagara prises du côté canadien ; une tour haute de près de huit cents mètres avec un restaurant au sommet ; les bâtiments du Parlement ; un bateau franchissant une écluse ; un chalet de montagne ; deux cathédrales ; un chariot traîné par des bœufs ; une vue aérienne de petites îles, et bien d'autres. Avant le week-end il y aurait des vues de pittoresques villages de pêcheurs et d'une île rocheuse couverte d'oiseaux aquatiques.

Dès que Qwilleran ouvrit la porte du porche, Koko

bondit pour voir l'exposition et marcha derrière les cartes dans un espace trop étroit pour tout autre qu'un chat siamois aux longues pattes sûres. Ensuite il se dressa et s'étira pour donner un coup de patte sur le bord de la roue.

— Non ! tonna Qwilleran.

Koko se retourna et revint aux cartes postales ; il les sentit une par une, tel un connaisseur de bons crus. Le chat semblait chercher quelque chose. Il posa finalement son sceau approbatif, une petite marque de ses crocs, sur deux cartes qui se trouvaient être la troisième et la quatrième sur le côté gauche de la rangée : les portraits des deux auteurs irlandais. « Quel chat ! pensa Qwilleran. Voilà maintenant qu'il s'intéresse à la dramaturgie ! »

A l'*Hôtel des Lumières du Nord* où Qwilleran se rendit pour prendre une autre tasse de café et écouter quelques commérages, il fut arrêté dans le hall par Wayne Stacy. L'hôtelier s'écria :

— Qwill ! Je voulais justement vous voir. J'ai une faveur à vous demander.

— Allez-y, mais je me réserve le droit de fuite.

— Je pense que cela va vous plaire. Samedi, nous avons notre course de dog-carts[1] annuelle sponsorisée par la chambre de commerce depuis trente ans. Wetherby Goode se charge habituellement de faire les annonces, mais cette année il a un empêchement — un mariage ou quelque chose de ce genre. Pouvez-vous le remplacer ?

— En quoi cela consiste-t-il ?

— Il suffit d'annoncer chaque course, le nom des gagnants des diverses catégories et de remettre les trophées. Quelqu'un sera à côté de vous pour vous fournir tous les renseignements nécessaires. Je pense

1. Voiture tirée par un chien. *(N.d.T.)*

que c'est à la portée de n'importe qui, mais vous avez la voix qu'il faut.

Qwilleran était toujours sensible aux compliments sur ses qualités vocales.

— A quelle heure samedi ?

— Le premier départ a lieu à onze heures du matin. Venez de bonne heure prendre le petit déjeuner avec nous.

— Très bien, cela me paraît dans la mesure de mes moyens, dit Qwilleran. Et maintenant, dites-moi comment va Mrs. Bowen ?

— Pour vous dire la vérité, je ne l'ai pas vue. Elle fait monter ses repas. Mais hier soir elle a commandé un dîner pour deux avec du champagne.

— Un signe prometteur.

— C'est ce que nous avons pensé. La chambre de commerce espère que la réouverture du restaurant ne saurait tarder.

Qwilleran se demanda qui pouvait avoir dîné avec elle au champagne. Derek ? S'il en était ainsi, Elizabeth le savait-elle ? Elle était très possessive.

Sur quoi, il changea d'idée et au lieu de prendre une tasse de café à l'hôtel, il se rendit chez *Elizabeth's Magic*.

Derek était là. Il travaillait dans la pièce réservée à la nouvelle bibliothèque. Barb Ogilvie était là également, occupée à présenter en vitrine de nouveaux tricots.

— Qwill, vous devriez acheter une des jolies vestes de Barb pour Polly en cadeau de retour au bercail, dit Elizabeth. Ce sont des pièces uniques. Je suis sûre qu'elle apprécierait la blanche avec un point travaillé. Quand doit-elle revenir ?

— Je vais la chercher à l'aéroport lundi.

— Barb pourrait exécuter un modèle spécialement pour vous... Barb ! appela-t-elle. Voulez-vous venir une minute ?

A Qwilleran, elle chuchota :

— Elle n'est pas elle-même, ce matin. Elle doit avoir des ennuis. Une commande spéciale pourrait lui changer les idées.

Qwilleran reconnut que la pétulante ex-chasseuse de ballons aux yeux malicieux paraissait abattue. Elizabeth prit la situation en main. Elle expliqua que l'amie de Qwilleran revenait lundi de longues vacances et qu'il désirait lui offrir un cadeau tout à fait particulier. C'était une femme de goût et elle serait enchantée d'avoir un modèle original créé par Barb Ogilvie. Elle portait une taille 42, précisa-t-elle.

— Barb, pourquoi ne laissez-vous pas tout tomber pour rentrer immédiatement à la maison afin de vous mettre à vos aiguilles ? Je terminerai cette vitrine à votre place.

— Je vais voir ce que je peux faire, dit la jeune tricoteuse qui, après quelques minutes d'hésitation, partit dans son pick-up.

Qwilleran pensa qu'elle avait dû se disputer avec Alice qui l'avait trouvée en train de fumer... à moins qu'elle n'ait encore des ennuis avec un homme... ou bien peut-être avait-elle reçu une lettre alarmante de Floride.

De son côté, Elizabeth était tout excitée.

— Nous avons de bonnes nouvelles, dit-elle. Ernie a téléphoné ce matin pour demander à Derek d'aller lui chercher quelques livres de cuisine dans son camping-car, derrière le restaurant. Elle voudrait ouvrir mardi prochain avec un menu entièrement différent — sauf les brochettes de pommes de terre qui seront toujours servies au déjeuner. Pourquoi n'achèteriez-vous pas des brochettes vous-même, Qwill ? Je sais que vous ne faites pas la cuisine, mais Polly aimera les utiliser quand elle vient le week-end, et elles sont décoratives quand on les accroche au mur de la cuisine. Savez-vous qu'elles sont faites à la main par

Mike Zander, le sculpteur de votre voilier en cuivre ? Je suggère un ensemble de cinq pour avoir un meilleur effet. Les manches ont cinq motifs différents : poisson, oiseau, coquillage, bateau et arbre. C'est fait pour pouvoir être suspendu au mur au moyen de clous sans tête.

Qwilleran était fasciné par la transformation de sa protégée, qui avait été une jeune fille timide et effacée et qui était devenue une personne pleine de dynamisme, une femme d'affaires avisée et une excellente vendeuse quand il s'agissait de vanter sa marchandise.

— Tout ce que vous voudrez, dit-il, mais je viens juste de terminer la tâche compliquée d'acheter deux clous et d'emprunter un marteau aux Huggins. Je me demande ce qu'ils vont penser si je leur demande de me vendre cinq clous sans tête ?

— Vous êtes un amour, Qwill. Pour le même prix je vais vous donner cinq pointes et vous pourrez emprunter le marteau de Derek.

Qwilleran alla jusqu'à l'ouverture pratiquée dans le mur et vit Derek occupé à enlever la tuyauterie du salon de coiffure.

— Vous avez décidément des talents variés, jeune homme.

— Salut, Mr. Q. ! Entrez et passez-moi la clef à molette.

— Non merci. Je préfère vous encourager de la voix.

— J'essaie de faire ce travail pour Liz avant l'ouverture du restaurant mardi. Certaines personnes vont trouver que c'est trop tôt, mais Ernie pense que les gens viendront plus nombreux tant que la tragédie reste fraîche dans leur mémoire. Si on attend trop, ils auront tout oublié.

— Franchement, je suis heureux que vous repreniez le travail. Réservez-moi deux couverts pour mardi soir. Que vous reste-t-il à faire ici ?

— Oh ! juste peindre les murs dans une couleur neutre. Le sol sera recouvert d'unc moquette. Les étagères sont commandées. Les livres ont été envoyés de Chicago par bateau. Liz les a hérités de son père, vous savez.

Derek posa sa clef universelle et s'approcha de Qwilleran d'un air confidentiel :

— Ernie a besoin d'argent, c'est pourquoi nous ouvrons la semaine prochaine. Elle veut aussi vendre le bateau. J'aimerais que vous y jetiez un coup d'œil. Peut-être connaîtriez-vous quelqu'un qui serait intéressé par un bon prix pour une vente au comptant.

— Où est ce bateau ?

— Près des bureaux de la marina. Il y a un panonceau « A vendre » sur le pare-brise. C'est le *Suncatcher.*

— Le *Suncatcher* ? répéta Qwilleran en tirant sur sa moustache avec un soudain intérêt.

— Oui, on aurait pu penser qu'Owen l'aurait appelé *Cul Sec* !

Tenant son paquet de brochettes et un des marteaux de Derek à la main, Qwilleran se rendit d'un pas vif à la marina, où il vit le *Suncatcher* briller sous le soleil. Il était difficile de dire si c'était le même bateau qu'il avait vu avec le *Fast Mama.* Tous les bateaux de plaisance se ressemblaient pour un marin d'eau douce confirmé et ce nom était très répandu. Sa blancheur immaculée n'était souillée que par une tache — très légère — sur le pont. On aurait dit qu'un verre de vin rouge avait été renversé. L'un des coussins blancs imperméables semblait manquer et un œil attentif pouvait détecter quelques petites traces indéterminées sur le linteau. Autrement, tout paraissait en ordre.

Ce qui intéressait Qwilleran était : avait-il ou non été impliqué avec le *Fast Mama* et pourquoi ? Il se demandait aussi quel était le port d'attache du canot automobile. Il eut la brusque impulsion de se rendre dans le petit village de Brrr à quelques kilomètres plus à l'est.

Brrr était la ville la plus froide du comté en hiver et la plus ventée en été. Construite sur un promontoire avec un excellent port, on y trouvait le célèbre *Hôtel Booze* à son sommet, un lieu historique connu de tous les navigateurs et des pêcheurs. Maintenant l'hôtel appartenait à Gary Pratt, dont le *Café de l'Ours Noir* servait les meilleurs hamburgers du pays, rebaptisés pour la circonstance des bear-burgers[1].

Gary était derrière son comptoir quand Qwilleran se glissa avec précaution sur l'un des tabourets instables. Le délabrement du café était l'un de ses charmes. Un autre était le gros ours naturalisé de l'entrée et un autre, enfin, était le propriétaire lui-même, dont la tignasse ébouriffée et la démarche traînante lui donnaient une véritable allure d'ursidé.

— Est-il trop tard pour avoir un bear-burger ? lui demanda Qwilleran.

— Jamais pour vous, Qwill, même si je dois le faire griller moi-même. Et pendant que vous attendez, pourquoi ne prendriez-vous pas un de ces verres du poison que vous buvez habituellement ?

Tandis que Gary disparaissait dans la cuisine, Qwilleran se versa un verre d'eau de Squunk sur des cubes de glace. A côté de lui, un client remarqua :

— C'est une bonne boisson que vous prenez là, monsieur. J'en ai consommé toute ma vie.

— Cela semble vous avoir réussi, dit Qwilleran.

En dépit de ses rides et de ses cheveux blancs, ce client parlait d'un ton vif et se tenait très droit.

1. Littéralement : burger d'ours. *(N.d.T.)*

— Ouais, je viens juste d'atteindre mon quatre-vingt-dixième anniversaire.

— Vous croyez que je vais avaler ça ? dit Qwilleran avec jovialité.

L'avocat de l'eau de Squunk se rapprocha et sortit son permis de conduire de sa poche comme preuve.

— J'avais dix ans quand mon Grandpa a découvert cette eau que vous buvez.

Qwilleran flaira une nouvelle histoire pour ses « Contes courts et longs ».

— Puis-je vous enregistrer ? Je suis Jim Qwilleran du *Quelque Chose du Comté de Moose.*

Une main osseuse s'avança.

— Haley Babcock. Géomètre, maintenant en retraite.

Ils se serrèrent la main. L'homme avait une poigne ferme et le magnétophone fut placé sur le comptoir entre eux.

— D'où l'eau de Squunk tire-t-elle son nom, Mr. Babcock ?

— Eh bien, voilà... La ferme de mon grand-père était composée de pâturage rocailleux, bon pour les moutons et les chèvres, mais pas un arbre ou un buisson en vue ! Grandma avait toujours souhaité avoir un agréable porche ombragé pour s'asseoir et tricoter. Un jour, Grandpa revint à la maison après le marché au bétail avec des baguettes vertes enveloppées dans du papier mouillé. Il avait payé un dollar à un Canadien pour les avoir. C'était une somme, à l'époque. On appelait cette plante de la vigne de Squunkberry et c'était supposé pousser vite et être excellent pour le bétail.

Gary apporta le bear-burger et dit :

— Heureux de voir que vous vous entendez bien, les gars. Haley a plus d'une bonne histoire à vous raconter, Qwill.

— Ces pousses vertes ont-elles apporté tout le bien escompté ? demanda Qwilleran.

— Ouais. Elles poussèrent de trente centimètres en une seule nuit en donnant de grandes feuilles vertes ! En deux semaines la vigne recouvrit tout le porche et commença à s'accrocher au toit. Grandpa la coupa, mais cette maudite plante traversa la cour, envahit la niche du chien, les bâtiments extérieurs, grimpa sur les barrières. Toute la famille devait lutter contre elle tous les jours avec des cisailles sans arriver à l'arrêter.

— On dirait un film d'Hitchcock, dit Qwilleran. Et le bétail ? Ne pouvait-il aider à la contrôler ?

— C'est bien là que se trouve la plaisanterie. Aucune des bêtes n'y a jamais touché ! On aurait pu croire que c'était du poison. L'hiver arriva et la plante mourut. Grandpa se prit à espérer que la neige et le froid l'avaient gelée. Mais, au printemps, elle revint de plus belle. Il y avait un grand fossé en contrebas et la plante le remplit. Puis un jour Grandpa pensa entendre un gargouillis au fond du fossé. Il installa une pompe et tira une eau claire et limpide. Les gens du comté la goûtèrent et constatèrent que c'était une excellente eau minérale. Les voisins vinrent en chercher de partout avec des pichets... gratuitement.

— Quand a-t-on commencé à la vendre ?

— Eh bien, voyons... C'était après la mort de Grandpa. Mes oncles avaient été saisis parce qu'ils n'avaient pas payé leurs impôts et la ferme fut vendue et alla au comté, qui la céda à une maison de mise en bouteille.

— Et la vigne continua à pousser ?

— Ouais, mais ils ont de gros équipements pour la contrôler.

Mr. Babcock demanda ce qu'il devait et mit la main dans sa poche.

— C'est ma tournée, insista Qwilleran, et merci pour cette merveilleuse histoire.

Lui et Gary regardèrent le vieil homme s'éloigner d'un pas vigoureux.

— J'espère que je serai dans le même état à son âge, dit Qwilleran.

— J'aimerais être dans cet état dès maintenant, dit Gary. Voulez-vous une autre eau de Squunk ?

— Ouais, comme aurait dit notre ami. Je crois que cela s'impose... Bien que je soupçonne Mr. Babcock d'être votre complice pour vous aider à en vendre davantage... Et maintenant parlez-moi des réactions locales à l'accident d'Owen Bowen.

— Ce à quoi vous pouvez vous attendre : comportement irresponsable d'un vacancier avec un bateau trop rapide qui met en danger des embarcations plus petites. Ce type était-il un navigateur expérimenté ?

— On peut le présumer. Il avait ramené ce bateau de Floride.

— Le restaurant va-t-il fermer ? Je pourrais utiliser un autre cuisinier pour l'été.

— Le chef n'est pas de votre classe, Gary, sans vouloir vous offenser. Vous ne pourriez même pas lire son menu sans l'aide d'un Larousse.

— C'est une blague ? Je ne sais même pas ce qu'est un Larousse !

Qwilleran remarqua distraitement :

— John Bushland a un nouveau bateau.

— Ouais. Il a jeté l'ancre au port et il est venu déjeuner ici un jour. Curieux qu'il ne se soit pas remarié. C'est un beau garçon et il réussit dans ses affaires.

— Ce qui est vraiment curieux, Gary, c'est la façon dont vous, nouvellement marié, insistez pour que tout le monde saute le pas. Est-ce qu'un amour malheureux vous pousse à souhaiter de la compagnie... ou quoi ?

— Vous me paraissez bien amer. Polly vous a-t-elle mis à la porte ? On ne la voit pas souvent, ces temps-ci.

— Elle est en vacances au Canada avec sa sœur.

— Hum... oui, bien sûr.

La conversation se poursuivit sur ce ton, jusqu'à ce que Qwilleran déclare :

— A propos, notre ami Bushy m'a emmené faire une promenade sur son nouveau bateau et nous avons vu un canot automobile qui a attiré notre attention. Il s'appelait le *Fast Mama*. L'avez-vous jamais vu dans les parages ?

— Non, et pourtant c'est le genre de nom que j'aurais remarqué. Ici, nous appelons nos bateaux *Happy Days, Sweet Iva May*... Est-ce important, Qwill ? Je peux téléphoner à la marina.

Il se dirigea vers le téléphone et revint au bout d'un moment.

— Ce nom ne rappelle rien à personne sur le port. Si vous voulez mon avis, on dirait un bateau du comté de Bixby. Ils ont des noms beaucoup plus grivois que les nôtres.

— J'ignore tout sur le comté de Bixby, sauf qu'ils ont un club de boutons et que notre chef de service au journal en fait partie.

— Il y a beaucoup plus de choses à Bixby qu'un club de boutons. C'est très industrialisé et le sport y est roi, mais ils ont des ennuis avec le chômage, de tristes écoles, un taux élevé de marginalisation et tout ce que cela implique.

Gary alla servir un trio de vacanciers à l'autre extrémité du bar et Qwilleran réfléchit. Si le *Suncatcher*, mêlé à une affaire quelconque avec le *Fast Mama*, était bien le bateau venant de Floride, à quoi jouait Owen ?... Et comment avait-il établi ce contact ?... Le canot automobile était-il encore dans les environs le jour de sa disparition ?... Ernie l'avait-elle remarqué ?... Owen aurait-il pu être enlevé pendant qu'elle cuvait son vin dans la cabine ?... Et dans ce cas, Owen avait-il été assassiné ?

C'étaient là des questions à soulever avec Andrew Brodie en prenant un dernier verre chez Qwilleran à Pickax et le plus tôt serait le mieux. Les siamois seraient heureux de retourner dans la grange spacieuse. De plus, lui-même y retrouverait une charmante voisine qui leur concocterait de bons petits plats pour tous les trois. Ils étaient au bord du lac depuis plus de deux semaines, il n'y avait vraiment aucune raison d'y rester davantage.

En revenant du *Café de l'Ours Noir*, Qwilleran fit ses plans. On était mercredi. Il pouvait retourner à Pickax jeudi et revenir brièvement au bord du lac samedi matin pour participer à la course de dog-carts. Lundi, il irait chercher Polly à l'aéroport et mardi soir ils célébreraient ensemble la réouverture d'*Owen's Place*.

C'était un plan bien établi, mais Robert Burns avait raison, les meilleurs plans pouvaient être dérangés.

CHAPITRE XIII

Lorsque Qwilleran arriva au chalet après sa visite au *Café de l'Ours Noir*, il trouva une boîte en carton sur le pas de sa porte, apparemment livrée par quelqu'un du journal. Elle contenait des liasses de cartes postales en réponse à sa chronique sur le journal intime de l'arrière-grand-mère de Lisa. L'enthousiasme pour le journaliste plein d'esprit qui avait fait deux conférences à Pickax en 1895 avait été partagé par de nombreuses familles locales.

A l'intérieur du chalet, les siamois paressaient languissamment sur la table à thé sous un rayon de lumière provenant d'une fenêtre qui faisait briller leur fourrure. Qwilleran prit le temps de les admirer :

— Vous êtes deux magnifiques spécimens de votre espèce !

Yom Yom baissa la tête avec modestie. Koko, qui tenait au chaud le livre de références sur Mark Twain, le regarda avec une intensité significative.

Qwilleran tira sur sa moustache tandis qu'une idée germait dans son esprit. Sur une brusque impulsion, il téléphona à Hixie Rice, la directrice du service de promotion au *Quelque Chose du Comté de Moose.*

— Hixie, je viens d'avoir une idée sensationnelle pour promouvoir la ville de Pickax, ainsi que le journal si nous voulons bien la sponsoriser.

— Est-ce aussi important que la Grande Explosion gastronomique ? s'enquit-elle, dubitative.

— Plus important.

— Aussi important que le Festival de la glace ?

— Plus important et garanti de ne pas fondre ! Voulez-vous venir demain pour déjeuner ? J'aurais bien suggéré *Owen's Place*, mais vous savez ce qui est arrivé...

— Pourquoi pas chez Linguini ? Ils ont toujours le même menu, la même direction maman-papa, la même peinture triste et les mêmes verrous cassés aux toilettes, mais la cuisine est merveilleuse.

— Vous pourriez aussi amener Fran Brodie, si elle est libre.

— Nous serons là, je le promets, dit Hixie. Vous avez éveillé ma curiosité. Ne pouvez-vous me donner un indice ?

— Non.

Il n'était pas surprenant — ayant décongelé un ragoût de porc pour dîner — que Qwilleran ait eu un rêve pittoresque dans la nuit de mercredi. Il déjeunait avec Mark Twain dans un restaurant non identifié. L'homme assis en face de lui était celui qui figurait sur la jaquette du livre favori de Koko : costume trois pièces blanc, cravate avec une épingle en diamant, belle chevelure, front haut, sourcils alertes, moustache luxuriante. Il était génial et bavard, et les deux hommes comparaient leurs notes. L'un était né Samuel Langhorne Clemens à Florida, l'autre était né Merlin James Qwilleran à Chicago. Ils discutèrent journalisme, voyage, chats, lectures — puis l'image s'effaça et Qwilleran se retrouva étendu dans son lit sombre au chalet.

Le rêve était le présage d'une journée mémorable. Après le petit déjeuner, les chats voulurent faire une mêlée et Qwilleran fournit obligeamment une vieille cravate à motifs cachemire qu'il agita en l'air en les regardant sauter dessus, l'attraper, entrer en collision et se rouler sur le sol. Comme Montaigne, dont le chat aimait jouer avec une jarretière, il ne savait pas qui s'amusait le plus : les chats ou lui.

Puis il suspendit les brochettes, après avoir enfoncé les cinq clous sans tête dans la poutre du mur au-dessus du comptoir de la cuisine. Immédiatement Koko vint inspecter les manches et toucha les fines brochettes d'une patte soupçonneuse.

— Tiens-toi loin de ça, le prévint Qwilleran. Cela sert à percer des pommes de terre et non à étriper des membres de la famille.

Son travail du matin fut rapidement terminé. « La Plume de Qwill » de vendredi était écrite avec la participation involontaire des lecteurs, ce qui signifiait que des abonnés innocents faisaient le travail à sa place. En juin, il avait posé une question brûlante, et des centaines d'abonnés avaient expédié leurs réponses sur des cartes postales. Qwilleran n'avait plus qu'à incorporer les résultats dans sa chronique. La question était : Pourquoi vos chats clignent-ils des yeux ? Huit explications plausibles étaient soumises. La plus populaire étant : ils sourient.

Peu avant midi, il partit pour son rendez-vous chez Linguini en emportant son sac fourre-tout de la bibliothèque de Pickax. Au restaurant, juste aux abords de la ville de Brrr, il fut accueilli par Mrs. Linguini qui reconnut sa moustache :

— Ah ! Mr. Jus de Raisin ! Pas de vin ! Papa, cria-t-elle en direction de la cuisine, Mr. Jus de Raisin est là !

Mr. Linguini se précipita à son tour pour lui serrer la main — de sa main droite humide de la vapeur de l'eau bouillante des pâtes — avant de retourner dans sa cuisine.

— Asseyez-vous où vous voulez, dit sa femme avec un geste large. Désirez-vous un jus de raisin ?

— Attendons mes invitées, dit-il. Je pense qu'elles voudront un verre de votre excellent vin rouge.

Il était communément admis que Papa Linguini fabriquait son propre vin dans la cave ; d'autre part, quelqu'un faisait pousser de la vigne sur une pente rocheuse aux alentours de Brrr — où les jours étaient ensoleillés et les nuits fraîches — et c'était presque certainement Mr. Linguini.

Qwilleran prit une table pour quatre et posa son sac sur la quatrième chaise.

Ses invitées firent bientôt irruption, tout excitées, en s'écriant :

— Le voilà !

— Il est toujours en avance !

— Qwill, vous êtes superbe !

— Les vacances vous réussissent !

Se levant pour avancer leurs chaises, il répondit sur un ton désapprobateur :

— Je n'ai pas eu une minute de répit depuis que je suis arrivé au bord du lac. Je me repose davantage quand je suis à Pickax... Quant à vous deux, on dirait que vous avez gagné à la loterie !

— Nous sommes excitées par votre projet secret, expliqua Hixie.

— Nous n'avons pas arrêté de faire des pronostics tout le long de la route, ajouta Fran.

Selon l'opinion de Qwilleran, c'étaient les deux jeunes femmes les plus séduisantes du comté par leur personnalité, leur élégance et leur comportement. La responsable de la publicité était toujours d'une grande vivacité, la décoratrice d'intérieur était d'un dynamisme froid.

— D'abord un peu de vin, proposa-t-il.

Il fut immédiatement servi dans des gobelets ainsi qu'un jus de raisin pour leur hôte qui remarqua :

— Vous seriez en train de boire un pinot noir

d'importation dans des verres à pied si *Owen's Place* n'était pas fermé.

— J'en suis vraiment désolée, dit Hixie. Quand les Bowen sont arrivés, je suis allée les voir pour leur proposer une campagne publicitaire pour l'été. Le mari n'avait pas beaucoup de personnalité, mais il était incroyablement bel homme, assez vaniteux, ce qu'on appelle ici un « m'as-tu-vu ».

— Savez-vous exactement ce qui lui est arrivé ? demanda Fran.

— Seulement ce que j'ai lu dans le journal, répondit Qwilleran.

Sur un ton moqueur, Hixie rétorqua :

— Je suppose qu'il se penchait au-dessus du bastingage pour admirer son reflet dans l'eau et qu'il est tombé dans le lac.

— Voilà une pensée peu charitable, protesta Qwilleran, mais après tout c'est possible. La bonne nouvelle est que *Owen's Place* va rouvrir mardi soir avec Derek comme directeur.

— Il ne peut pas travailler ce week-end, objecta Fran. C'est la dernière semaine de notre pièce et il joue le rôle-titre.

— Je serais heureuse de le remplacer au restaurant, offrit Hixie, qui avait dirigé le restaurant du *Vieux Moulin* avant de se joindre au *Quelque Chose*. Il était garçon de salle au *Moulin*. C'est un plaisir de voir combien il a progressé.

— Moralement mais surtout physiquement, ironisa Fran.

Qwilleran leur raconta comment Derek avait introduit les pommes de terre en brochette au déjeuner, en les préparant à côté de la table avec le panache spectaculaire d'un Cyrano de Bergerac.

— Encore un peu de vin, dit-il à Mrs. Linguini, puis nous passerons la commande.

Après le choix des plats, il en vint à sa proposition :

— Le comté de Moose n'a jamais été associé à une importante figure littéraire. Aucune personnalité locale n'est devenue un écrivain célèbre. Aussi je suggère d'en adopter un et de fêter son anniversaire, tout comme les Écossais de la loge célèbrent la nuit Robert Burns le 25 janvier. J'ai reçu de très nombreuses réponses de lecteurs à ma chronique sur le journal intime de l'arrière-grand-mère de Lisa Compton. C'était une fervente admiratrice de Mark Twain au XIXe siècle et aussi toquée de lui, à la mode victorienne, qu'une fan d'Elvis Presley au milieu du XXe. Mark Twain avait choisi Pickax pour y faire une conférence lors d'une de ses tournées et les autochtones se sont précipités pour l'entendre, ont acheté ses livres, ont écrit des lettres à son sujet et ont consigné leurs impressions dans leur journal intime. Mark Twain a eu un succès fantastique. C'était un journaliste, un humoriste et un auteur prolifique, aussi je propose une célébration annuelle Mark Twain pour honorer une idole américaine qui ne repassera jamais par ici.

Les yeux d'Hixie brillèrent aussitôt tandis qu'elle envisageait déjà les possibilités.

— Jusqu'où pouvons-nous aller ?

— Nous pouvons facilement remplir une semaine d'événements spéciaux. Les bénéfices pourraient aller au programme d'alphabétisation. Samuel Langhorne Clemens approuverait.

— Le club théâtral pourrait organiser des lectures de ses œuvres ou procéder à l'adaptation théâtrale de *Tom Sawyer* et d'*Huckleberry Finn*, dit Fran.

— Nous pourrions avoir un défilé avec des chars, suggéra Hixie avec un air extasié. Cela attirerait les équipes de télévision du Pays d'En-Bas.

— Nous pourrions organiser un banquet. Quelqu'un connaît-il ses goûts culinaires ?

— Pourquoi pas une conférence par un ponte universitaire du Pays d'En-Bas ?

— Et si nous rebaptisions une rue boulevard Mark-Twain ?

— Le *Quelque Chose* pourrait offrir une bourse annuelle Mark Twain pour un étudiant qui désirerait être journaliste.

Qwilleran ajouta à son tour :

— Quand l'hôtel rouvrira en septembre, on pourrait donner son nom à une suite avec un grand portrait de lui.

Il tira le livre *Mark Twain de A à Z* du sac et montra la magnifique photographie présentée sur la jaquette.

Hixie poussa un cri de délectation :

— Nous pourrions organiser un concours de ressemblance avec Mark Twain, et Qwill serait l'heureux lauréat !

— Vous ne lui ferez jamais porter un costume trois pièces, dit Fran.

— Leurs yeux sont différents, ainsi que leurs sourcils.

— Qwill est plus beau.

— Et plus sexy.

L'intéressé tira sur sa moustache.

— Voilà le plat de résistance.

Mrs. Linguini sortait de la cuisine en balançant trois assiettes à bout de bras. Elle en posa une devant Fran :

— Manicotti farcis... très bons !

La deuxième assiette fut placée devant Hixie :

— Veau marsala... très bon !

Qwilleran eut la troisième :

— Lasagne... la meilleure !

Après la chaleur de cette discussion, ils savourèrent leur repas avec plus de tranquillité en bavardant à bâtons rompus.

Qwilleran indiqua que la veuve d'Owen avait hâte de vendre leur bateau et était prête à accepter toute offre d'achat au comptant.

Fran annonça que la prochaine production au théâtre de la grange serait *La Vie avec Père* et qu'ils recherchaient cinq gosses roux afin d'économiser le coût des perruques.

Hixie déclara qu'elle était encombrée de quinze mille gros boutons en forme d'ours polaire, devenus sans emploi depuis l'annulation du Festival de la glace. Elle se demandait s'ils pourraient être retournés au fabricant et être remodelés pour une autre occasion.

Qwilleran confia qu'il pourrait éventuellement travailler sur un scénario pour un film en collaboration avec une corvidologiste, à ne pas confondre avec une cardiologue.

Puis Fran les choqua avec la nouvelle (confidentielle, naturellement) qu'Amanda allait quitter le conseil municipal et se présenter au poste de maire. Qwilleran déclara qu'il ferait campagne en sa faveur.

Finalement, Hixie dit qu'elle avait vu les premières épreuves de la rubrique « Demandez à Ms. Gramma » et qu'elle en avait apporté un échantillon.

— J'aimerais savoir ce que vous en pensez tous les deux, dit-elle. Je la soupçonne d'avoir écrit ça avec une bouteille de Martini près de son coude !

Sur sa suggestion, Qwilleran lut à haute voix :

> Bien chers lecteurs,
>
> Ms. Gramma a été absolument enchantée par vos réponses à l'annonce de la semaine dernière. Cela prouve que vous vous souciez vraiment de parler correctement. Continuez et nous allons bien nous amuser. Ms. Gramma aime piétiner les plates-bandes et brouiller les cartes.
>
> Chère Ms. Gramma, mon mari et mes deux grands fils sont cultivés et instruits, mais ils persistent à dire « Moi, je ». Que faire ? — Pauline, de Pickax.

Chère Pauline, certains hommes pensent que « Moi, je » est viril. Abandonnez, ma chère. L'animal mâle est aussi entêté qu'une mule. Et nous connaissons tous les mules, n'est-ce pas ?

Fran coupa :

— Qui écrit cette rubrique ?

— Seul Junior le sait et il refuse de le dire, dit Hixie.

— Eh bien, je pense que c'est un homme.

— Moi aussi, dit Qwilleran, et je ne trouve pas ça très bon.

— Continuez à lire, pressa Hixie.

Chère Ms. Gramma, quand j'étais à l'école, nous menions une campagne contre le mot « ouais ». Quand quelqu'un l'employait, toute la classe criait « coin-coin ». Ça marchait ! — Isabelle, de Trawnto.

Chère Isabelle, Ms. Gramma donne ici la permission à ses lecteurs de crier « coin-coin » chaque fois qu'ils entendront « ouais » dans un lieu public. Merci pour l'idée, chérie. Ms. Gramma cependant n'est pas responsable de tout assaut physique ou obscénité verbale pouvant résulter du couinage.

Chère Ms. Gramma, certaines personnes pointilleuses me reprennent lorsque je dis « ceci dit » au lieu de « cela dit ». Pourquoi ? — Linda, de Mooseville.

Chère Linda, pour la même raison, ces mêmes personnes boivent leur thé le petit doigt en l'air. Elles pensent que c'est correct, même si *ceci* ne l'est pas. Oh là là. Navrée !... Ms. Gramma pourrait écrire un livre sur les pronoms démonstratifs, chérie, mais ce serait ennuyeux, alors laissons aller les choses.

Quand Qwilleran eut terminé sa lecture, il demanda :

— Croyez-vous que cela a été écrit par quelqu'un de l'équipe ou par un indépendant ? Ou encore par un comité ?

— Je n'aurai pas de repos tant que je n'aurai pas trouvé la réponse, dit Hixie.

— Ne perdez pas votre temps avec Ms. Gramma, dit Qwilleran. Penchez-vous plutôt sur la célébration de Mark Twain.

Satisfait du résultat du déjeuner, et dans sa hâte de retourner à Pickax, Qwilleran prépara son exode de Mooseville. Il n'était pas nécessaire de fermer complètement le chalet. Polly étant de retour en ville, ils pourraient revenir passer le week-end sur la plage et recevoir d'autres couples pour des cocktails sous le porche et des dîners à *Owen's Place*. Les siamois resteraient dans leur grange luxueuse avec une catsitter.

Près du Haut des Dunes, il acheta un plat surgelé dans une boutique sur la route et se mit à guetter la vieille cheminée. Il espérait qu'elle ne serait jamais la proie d'un bulldozer, victime d'une coalition pour l'amélioration de la route. Il s'était pris d'affection pour ce grotesque monolithe. Lorsqu'il repéra cette relique du passé, il vit aussi un véhicule tourner sur la piste K. Il était jaune ! C'était un car scolaire !

Qwilleran fut indigné. Il était irrité par les intrus et il n'aimait pas beaucoup les écoliers lorsqu'ils étaient en nombre. Individuellement, il les trouvait parfois amusants — le jeune McBee et le petit-fils de Celia Robinson, par exemple. Mais que venaient faire ceux-là sur sa propriété sans sa permission ? L'école les avait libérés à la mi-juin, mais les cars scolaires étaient utilisés pour toutes sortes d'activités estivales.

En arrivant sur la piste, il poursuivit le car, apercevant un éclair jaune tandis qu'il escaladait les dunes et entre les arbres. Sa camionnette rebondissait sans désemparer dans son sillage. Malgré tout, le car était déjà dans la clairière quand Qwilleran surgit et se gara directement derrière l'importun. Il ne pourrait s'échapper sans explication. Il sauta de son siège, s'attendant à voir une foule de gosses bruyants courir partout et alarmant les chats.

Le seul signe de vie était une haute silhouette avec de larges épaules tournée vers le lac, devant l'échelle de sable. Qwilleran remarqua le chapeau en paille de fermier, un jean, des bottes en caoutchouc et une sorte d'inscription sur le dos d'un T-shirt.

— Salut, là-bas ! cria-t-il avec une note de contrariété.

L'intéressé se retourna, révélant un corbeau grandeur nature sur le devant du T-shirt.

— Vous devez être Qwill, dit une voix féminine, claire et autoritaire. Je suis Tess, la cousine de Joe Bunker.

— Oh !... Si j'avais su que vous arriviez, j'aurais été là pour vous accueillir, dit-il avec tact, mélangeant réprimande et excuse. Joe m'avait dit que vous me téléphoneriez de Horseradish quand vous seriez là-bas.

— J'ai changé d'itinéraire. J'espère que je ne vous dérange pas.

— Nullement, dit-il avec quelque raideur.

Il détestait être pris par surprise.

— Venez sous le porche et mettez-vous à l'aise pendant que j'ouvre le chalet et range mes achats dans le réfrigérateur.

Alors seulement il se rendit compte que le véhicule jaune, un minibus, portait l'inscription : *République de Crowmania*[1]. C'était la même qui figurait au dos de son T-shirt.

A l'intérieur il prévint les siamois :

— Nous avons de la compagnie. Elle est dehors, sous le porche. C'est une corvidologiste, mais inoffensive. Ne reniflez pas ses bottes, c'est considéré comme impoli.

1. *Crow* : corbeau. *(N.d.T.)*

Quand il ouvrit la porte du porche, ils reculèrent avec précaution. Tess était assise, les jambes croisées. Elle avait retiré son chapeau. Ses cheveux bruns étaient tirés en arrière dans un chignon sur la nuque. Elle avait les traits réguliers, des lèvres minces et des pommettes hautes.

— Vous avez de nombreux corbeaux sur la plage, dit-elle. Je suis heureuse d'avoir apporté une provision de blé sec.

— Avez-vous beaucoup voyagé aujourd'hui ?

— Non. J'arrive de chez ma tante de Bixby. J'ai essayé de vous appeler de là et quand je n'ai pas obtenu de réponse, j'ai décidé de tenter ma chance.

— Pouvez-vous expliquer ce minibus ?

— Volontiers. Je l'utilise pour les excursions dans la campagne avec mes étudiants et pour la diffusion d'informations en d'autres occasions, c'est une manière de faire de la propagande, si vous voulez. Comme Joe vous l'a peut-être dit, je crois que les corbeaux font partie des prochains animaux en vogue après les petits cochons, les grenouilles, les chouettes, les singes, les baleines et les dinosaures. Le corbeau est un oiseau noble, intelligent, assez beau, bien organisé, coopératif et très concentré. Un groupe de corbeaux sait où il va et y vole directement ; « droit comme un vol de corbeaux » n'est pas un simple cliché. Quant au cri du corbeau, il est autoritaire avec un vocabulaire étendu allant bien au-delà du simple « croassement ». Quelle est votre réaction aux corbeaux, Qwill ?

— Ils paraissent tous se ressembler.

— Au contraire, ils ont des caractéristiques physiques différentes et un langage corporel, comme vous le verrez quand vous aurez lu les livres que je vous ai apportés. Pourquoi ne porterions-nous pas mes bagages à l'intérieur où je pourrais les déballer ? Ensuite nous pourrons bavarder un peu plus.

Des bagages? Wetherby n'avait pas dit qu'elle allait s'installer !

— Joe m'a expliqué que vous ne faisiez pas la cuisine, reprit-elle. Je serai heureuse de préparer les repas pendant que je serai là.

Des repas? « Combien de temps a-t-elle l'intention de rester? » se demanda Qwilleran.

— Dites-moi seulement ce que vous aimez manger, dit-elle. Je fais de fantastiques macaronis au fromage avec du raifort, si vous aimez ce genre de choses.

— Transportons d'abord vos bagages, dit-il.

Il y avait deux énormes sacs de marin et un porte-documents dans le minibus. Ensemble, ils portèrent le tout à travers bois jusqu'à la maison d'amis.

— C'est petit, mais il y a les sanitaires à l'intérieur, précisa-t-il. Nous l'appelons « le Petit Nid ».

— C'est charmant ! J'aime beaucoup.

Qwilleran revint au chalet en courant pour préparer le premier mint julep de sa vie et se frappa le front avec désespoir. Pas de menthe ! Il avait plusieurs bouteilles de bourbon, mais pas de menthe fraîche ! Les Riker en faisaient pousser dans leur cour et Mildred avait dit qu'il pouvait en cueillir quand il en avait besoin. Il saisit les clefs de sa voiture et fonça en Haut des Dunes, laissa le moteur tourner et arracha une poignée de ce qu'il présuma être de la menthe. L'odeur ressemblait à de la menthe. Puis il conduisit à toute allure et arriva juste à temps pour voir Tess revenir à travers bois, vêtue d'une chemise en toile à la place du T-shirt.

— Aimez-vous le mint julep? demanda-t-il.

— Oh ! J'adore ça, s'exclama-t-elle, mais le médecin me défend de boire quelque chose de plus fort que du vin. Que prenez-vous vous-même?

— Du ginger ale.

— Alors je prendrai la même chose. Ce chalet est tout à fait charmant. Est-il très vieux ?

Elle en fit le tour, admirant la cheminée en pierre, le bateau en cuivre, les livres de Mark Twain, et commenta la collection de cartes postales.

— Il y en a deux par terre.

— Elles ont probablement des marques de crocs dans les coins, dit Qwilleran. Posez-les sur la table, je les remettrai en place.

Il eut le pressentiment que ce serait celles représentant George Bernard Shaw avec sa belle barbe... et Oscar Wilde, une fleur à la boutonnière.

CHAPITRE XIV

Qwilleran emmena son invitée dîner à l'*Hôtel des Lumières du Nord*, s'excusant par avance sur le menu ordinaire.

— Nous aurions pu dîner avec classe à *Owen's Place*, mais Owen a eu le malheur de se noyer. Ici le chef est le même depuis trente ans et sa cuisine est simple.

Ils commandèrent un tournedos et, pour oublier la sauce aussi épaisse que de la colle à papier, les carottes trop cuites et les pommes de terre réduites à l'état de crème à raser, Qwilleran posa une question importante :

— A quoi ressemblait Horseradish dans votre enfance ?

— En fait, à l'époque où je suis née l'agriculture avait cédé la place au tourisme, dit-elle. Nous n'étions plus la capitale du raifort du Middle West, mais il restait des exhalaisons de l'ancienne industrie réputée donner une atmosphère vivifiante aux vacanciers.

— Vos ancêtres étaient-ils fermiers ?

— Non. Ils étaient pêcheurs. Notre ville était le principal port du comté de Lockmaster et les aventures de mon arrière-grand-père comme capitaine d'un vaisseau appelé le *Princess* en ont fait une figure légendaire. Voyez-vous, toutes sortes de matières premières étaient importées et exportées. Il y avait encore des mines d'or à l'intérieur du pays et le commerce de la fourrure y était florissant, en particulier celui du castor. Cela faisait des cargos de véritables proies pour les boucaniers. Saviez-vous qu'il y avait des pirates sur les lacs à l'époque ?

— Joe m'a raconté que leurs victimes passaient souvent à la planche. Il n'a jamais cité le *Princess.*

— Oh ! ce bateau était célèbre en son temps ! En une occasion, le *Princess* est sorti du port avec une cargaison et venait de perdre de vue la terre quand une embarcation portant le drapeau noir des pirates parut à l'horizon. Le capitaine Bunker donna des ordres très inhabituels. Quand le bateau pirate approcherait l'équipage devrait descendre dans la cale avec des barres de fer et des chiffons mouillés.

Tess fit une pause pour observer la réaction de son interlocuteur. Elle avait raconté cette légende bien des fois.

— Une salve fut tirée sur la proue du *Princess* et toutes ses voiles furent baissées. Puis les marins disparurent dans la cale qui était remplie de barils de raifort râpé mélangé à du vinaigre. Les pirates montèrent à bord en criant et jurant. Où était ce maudit équipage ? Était-ce un de ces satanés vaisseaux fantômes ? Ils se précipitèrent vers la cale. Immédiatement les couvercles des barils se soulevèrent et des vapeurs en sortirent comme du gaz empoisonné. Les pirates s'étouffèrent et furent aveuglés, tandis que l'équipage surgissait avec des linges mouillés sur le visage et des barres de fer à la main. Écrasés par le nombre, les pirates furent acculés sur le pont et jetés par-dessus bord.

— Tess, c'est une histoire fascinante ! s'exclama Qwilleran. Accepteriez-vous de la répéter devant mon magnétophone ? Je recueille de vieilles légendes pour en faire un livre.

— Bien volontiers, dit-elle. Cette histoire de pirates est authentique, mais il existe de nombreux récits rocambolesques sur notre ville, comme celui de la poudre de raifort qu'on utilisait pour faire marcher les bateaux avant la vapeur.

Qwilleran la jugea cultivée, éloquente et assez jolie femme pour l'avoir invitée à dîner. Il était heureux qu'elle n'ait pas mis son T-shirt orné d'un corbeau. Ils parlèrent de chats (elle en avait deux), de journalisme (sur l'éthique des responsabilités), mais ne soufflèrent pas mot des corbeaux. Cependant, plus vite le sujet serait abordé et plus vite il pourrait regagner Pickax. Pour le petit déjeuner, ils prendraient du café et des petits pains, ils passeraient la matinée à parler corbeaux, après quoi il espérait voir les feux arrière du minibus jaune disparaître sur la piste. Pour diriger la conversation dans ce sens, il demanda :

— Avez-vous l'intention de vendre des T-shirts à la sortie du film ?

— Éventuellement, dit-elle. En attendant, j'en ai apporté un pour vous. Quelle est votre taille ? Ils sont coupés amples.

— Hum... large, dit-il évasivement en essayant de s'imaginer avec un corbeau sur la poitrine. Êtes-vous tout à fait sûre que votre film sera produit ?

— Absolument. L'université possède la technologie nécessaire, les artistes et la subvention. J'ai la responsabilité de fournir le scénario. Le film doit être à la fois divertissant, éducatif et inspirateur, avec des corbeaux qui résolve les problèmes, combattent, respectent l'environnement et les valeurs familiales.

Pendant un moment une idée traversa l'esprit de Qwilleran. Ce film sur les corbeaux était une autre blague de Wetherby Goode comme son Système intergalactique pour régler le temps, qui contrôlerait la température, régulerait les précipitations, maîtriserait les vents, éliminerait les catastrophes naturelles et favoriserait l'entente internationale. On ne savait jamais s'il était un plaisantin ou un visionnaire.

Tess poursuivit :

— L'autobus attire l'attention où que j'aille et je suis toujours heureuse de parler aux étrangers du *Corvus americanus*. Les gens sont curieux d'apprendre comment les corbeaux fonctionnent dans leur famille coopérative de sept : un couple de parents et cinq corbeaux adultes.

— Moi aussi, dit Qwilleran.

— J'ai laissé un dossier sur votre bar — des articles que j'ai écrits pour des revues scientifiques. Vous pourrez les lire demain pendant que j'irai en ville. Avez-vous un marché où l'on trouve de la viande de bonne qualité ? Je sais que nous sommes dans un pays d'élevage de moutons et une de mes spécialités est le gigot d'agneau avec des haricots à la bûcheronne.

C'était un des plats favoris de Qwilleran. « Parfait, pensa-t-il. Elle peut rester une autre nuit. » A haute voix, il répondit :

— L'épicerie Grott est tenue par quatre générations : Gramps, Pop, Sonny et Kiddo. Ils découpent encore la viande sur commande et vendent le fromage à la meule. Tout ce que vous achèterez sera mis sur mon compte. Dites à Gramps que vous êtes mon invitée.

Puis, une soudaine impulsion d'hospitalité le poussa à ajouter :

— Aimeriez-vous assister à une représentation théâtrale dans une grange, demain soir ? C'est complet, mais on réserve toujours quelques places pour les célébrités de passage.

— J'adore le théâtre dans les granges, dit-elle.

Tess se retira de bonne heure dans le Petit Nid —

elle voulait lire un peu — et Qwilleran en profita pour téléphoner à Wetherby Goode au Village Indien :

— Devinez qui est arrivé avec un minibus scolaire dans ma cour aujourd'hui et s'est installé dans ma maison d'amis ? Votre cousine !

— Quelle femme ! Elle était supposée aller dans la maison de famille de Horseradish et vous téléphoner de là.

— Eh bien, elle a changé d'avis !

— Que pensez-vous d'elle, Qwill ?

— Elle est aussi toquée que vous, mais amusante et intéressante. Lui avez-vous dit que j'avais un faible pour les macaronis au fromage et le gigot d'agneau ?

— Non, je ne lui ai jamais parlé de cuisine, je le jure.

— Le problème est qu'elle semble se plaire ici et que je dois retourner à Pickax.

— Jetez-la dehors, elle ne se vexera pas, dit Wetherby. Et merci, Qwill, de me remplacer pour la course de dog-carts samedi.

Le vendredi matin, Qwilleran servit un petit déjeuner continental sous le porche de la cuisine inondé de soleil. Il reconstitua du jus d'orange surgelé, décongela des petits pains à la cannelle et pressa le bouton de sa cafetière électrique. Les siamois vinrent se joindre à eux, en quête de chaleur. Koko s'étira de tout son long pour faire sa toilette au soleil.

— C'est un cabotin, expliqua Qwilleran. Il aime avoir un public quand il procède à ses ablutions matinales. Un poète du XVIIIe siècle décrit le rituel en dix étapes :

En premier, il regarde ses pattes avant pour voir si elles sont propres.

En deux, il lance des ruades pour nettoyer tout ça...

Tess éclata de rire en disant :

— *En trois, il travaille ses muscles avec la patte étendue...*

— Vous connaissez Christopher Smart ! s'exclama Qwilleran avec une surprise amusée.

— Oh ! Je l'adore ! J'ai appelé mon chat Jeoffrey à cause de celui de Smart ! Réfléchissez un instant. Depuis deux siècles — ou deux millénaires — les chats se lavent de la même façon simple et efficace, alors que nous promouvons de nouvelles méthodes révolutionnaires dont nous ignorons si elles seront ou non couronnées de succès ou même nécessaires !

— Évitez les théories radicales à Mooseville, conseilla-t-il. Ne vous faites pas arrêter. Les juristes locaux pourraient considérer la République de Crowmania comme subversive. A propos, pendant que vous serez en ville n'oubliez pas de rendre visite à la boutique *Elizabeth's Magic* dans Oak Street.

Après que le minibus jaune eut disparu sur la piste, Qwilleran apporta le dossier de textes sur les corbeaux sous le porche et le lut attentivement, espérant y trouver une source d'inspiration, n'importe quoi, qui suggérerait un possible scénario correspondant aux prescriptions de Tess. Il fut déçu. Il n'y avait rien qui pût rendre les corbeaux sympathiques, héroïques ou divertissants. Ils avaient des habitudes alimentaires répugnantes. Ils pouvaient se montrer méchants envers d'autres espèces et même d'autres corbeaux qui se trouvaient hors de leur coopérative familiale. Ils aimaient tirer la queue des chiens, des moutons ou des oiseaux d'un plumage différent. Certaines de leurs habitudes frisaient la folie, comme d'encourager les fourmis à courir à travers leurs plumes.

— Assez, ça suffit ! dit-il avec répugnance.

Puis il pensa à l'amicale famille de sept qui rendait quotidiennement visite à la plage et distrayait les siamois. Ils croassaient et Koko leur répondait aussitôt de la même manière. Ils paradaient, s'exhibaient. Ils avaient l'air de se livrer à d'innocentes plaisanteries.

Maintenant, à la froide lumière des recherches scientifiques, les corbeaux paraissaient snobs, antisociaux, remplis de préjugés et écœurants dans certains de leurs rapports. Qwilleran jeta le dossier de côté et partit en voiture pour Mooseville afin d'acheter du vin rouge et des jus de fruits pour préparer de la sangria... et afin de voir si Tess avait été arrêtée.

Il trouva le minibus jaune garé sur le parking de l'hôtel et entouré de touristes excités. Tess, portant son T-shirt orné d'un corbeau, se tenait sur la dernière marche du minibus et répondait aux questions. Une voiture de patrouille tournait lentement autour de la scène.

Tandis qu'il regardait l'auditoire captivé, Wayne Stacy s'approcha de lui.

— Est-ce une de vos amies? Elle a demandé l'autorisation de se garer dans le parking et a dit qu'elle vous rendait visite.

— C'est la cousine de Wetherby Goode. Elle vient du Pays d'En-Bas et elle est ici pour voir sa famille de Horseradish.

— Je lui ai dit qu'elle pouvait rester au parking pendant une heure. Tout ce qui attire les touristes est bon pour les affaires. Mais après cela, nous devons tout nettoyer et peindre des lignes sur l'asphalte pour la course de dog-carts — des couloirs pour les concurrents. Nous utilisons un marqueur temporaire et j'espère qu'il ne pleuvra pas cette nuit, ce qui effacerait tout. On attend un gros orage descendant du Canada, mais Wetherby prétend qu'il n'arrivera pas avant dimanche. Il apprécie que vous ayez accepté de le remplacer, Qwill, et nous aussi.

Il y eut des applaudissements excités autour du minibus, la foule commença à se disperser et Qwilleran s'éloigna avant que Tess n'ait pu le repérer. Selon son emploi du temps, le moment était venu pour elle de rentrer préparer le gigot d'agneau. Il se rendit chez *Elizabeth's Magic* pour s'enquérir de sa commande particulière.

— Barb m'a assurée que ce serait terminé à temps, dit Elizabeth, et merci, Qwill, pour m'avoir envoyé cette délicieuse Mrs. Bunker. Elle a aimé tout ce qu'elle a vu dans ma boutique et a fait plusieurs achats : de grosses chaussettes farfelues pour son cousin et sa cat-sitter, des brochettes pour elle et un caftan thaï pour sa grand-mère de Horseradish qui doit célébrer son centième anniversaire.

— A-t-elle parlé de corbeaux ?

— Avec enthousiasme ! Nous avons discuté de la possibilité de souvenirs axés sur les corbeaux. Je lui ai dit que j'essaierai d'oublier ma prévention à l'encontre des T-shirts et que j'en vendrais un modèle comme le sien si le produit va à la recherche scientifique.

— Bravo !

— Venez voir un nouvel article que m'a apporté une de vos amies — Janelle Van Roop.

— Oh ! fut tout ce qu'il trouva à dire.

Au rayon des travaux manuels il y avait une collection de petites créatures rembourrées appelées des *Chatons Calicot* et confectionnées en coton broché couleur bouton de rose ; longues de vingt centimètres, queues comprises, elles étaient primitives mais séduisantes avec leurs pattes écartées, leur queue pointue et leurs très grandes oreilles. Les yeux, les moustaches et la petite bouche étaient grossièrement brodés.

— Leurs traits de guingois les rendent amusantes et assez aimables, n'est-ce pas ? dit Elizabeth. Le professeur Bunker les a qualifiées d'« art folklorique contemporain » et en a acheté plusieurs pour les offrir.

— Qui les fait ?

— Les vieilles dames de Safe Harbor. Je me charge de la vente sans prendre de commission. C'est moi qui ai eu l'idée de donner un nom à chacune, rien de drôle ou d'inattendu, mais digne et traditionnel comme Clarence, Marthe, Spencer, Agathe, etc. Pourquoi n'en achèteriez-vous pas une pour les chats ?

Il savait que les siamois les dédaigneraient comme ils ignoraient les souris en velours, les grenouilles en caoutchouc ou les balles en plastique. Ils préféraient les cravates avec un homme à l'autre bout.

— Très bien, dit-il, je vais prendre celle-ci. Gertrude.

Tess retournerait au chalet pour préparer le dîner — elle savait où trouver la clef — et Qwilleran avait l'intention de rester hors de vue, de crainte qu'on ne lui demande d'éplucher les pommes de terre. Il s'installa dans la véranda de l'hôtel pour lire le journal de vendredi et réfléchir au scénario sur les corbeaux. Son enthousiasme s'était définitivement refroidi. La question était : Comment annoncer la nouvelle à Tess ? C'était une femme charmante, la cousine d'un bon ami. S'il revenait sur son accord, ce serait avec tact, en fournissant quelques idées, des conseils et beaucoup d'encouragements.

Il mettrait un terme à la question après la représentation théâtrale. Alors, elle pourrait s'en aller après le petit déjeuner et il pourrait retourner à Pickax après la course de dog-carts.

Tout se passa bien ce soir-là. Qwilleran trouva le gigot d'agneau délicieux. Tess adora la pièce de théâtre. Ensuite il servit la sangria sous le porche et déclara :

— Tess, votre visite a été mémorable ! J'aurais seulement souhaité pouvoir travailler sur votre projet.

Malheureusement, j'ai d'autres obligations. Mais je peux envisager des possibilités... et étudier les problèmes... ainsi que les décisions à prendre.

— Je comprends, dit-elle avec moins de déception qu'il ne l'avait anticipé. De quelles décisions parlez-vous ?

— Au sujet de l'intrigue. Qui ou quoi provoquera le conflit ? Une autre race d'oiseaux ? Une autre vie sauvage ? Des humains ? Un équipement mécanique ? Des épouvantails ?... Et tout d'abord, le casting comprendra-t-il uniquement des oiseaux ? Je ne le pense pas. Les corbeaux semblent se promener beaucoup autour des terrains de pâturage. Ont-ils des relations avec le bétail autres que scatologiques ? Qui sont les amis des corbeaux et qui leurs ennemis ?

— Et le dialogue ? demanda Tess. Jusqu'à quel point pouvons-nous être anthropomorphiques ?

— Eh bien, vous pouvez faire parler tous les animaux avec chacun sa propre voix — avec une voix humaine traduisant leurs croassements, gloussements et autres aboiements.

— Quel langage supposez-vous que les corbeaux parlent ?

— C'est une question qui relève de la section linguistique de votre université, répondit Qwilleran.

Il caressait sa moustache à mesure qu'une idée commençait à germer.

— La mission de l'épouvantail est de protéger les récoltes des corbeaux, n'est-ce pas ? Supposez qu'il se lie d'amitié avec les corbeaux et entame un mouvement secret pour leur compte. Sa collaboration est découverte et il est condamné à mort. Si on en fait un personnage sympathique, ce pourrait être une situation hautement dramatique.

— J'entends déjà le public pleurer, dit Tess.

Ils discutèrent du nom des personnages. Le couple des parents pourrait être la reine Croquette et son consort le prince Chromosome.

— Oh ! j'adore ça ! s'écria-t-elle.

— Puis-je remplir votre verre, Tess ?

Ce fut une heureuse corvidologiste qui prit sa lampe électrique pour trouver son chemin jusqu'au Petit Nid. Avant de lui souhaiter une bonne nuit, elle demanda :

— Savez-vous que vous avez des mûres derrière la cabane à outils ? Je pourrais en cueillir pour en fourrer des crêpes au petit déjeuner.

— Excellente idée ! dit Qwilleran.

— J'ai aussi trouvé de très belles entrecôtes chez Grott. J'en ai pris deux en pensant que nous pourrions avoir des steaks au poivre avec des brochettes de pommes de terre pour le dîner demain soir.

Avant que Qwilleran ait pu réagir, elle ajouta :

— Vous êtes-vous rendu compte qu'il manque une brochette ? Il y en avait cinq...

CHAPITRE XV

Après les crêpes aux mûres, Tess se rendit avec son minibus jaune dans la ville innocente de Brrr pour y faire de la propagande en faveur de la République de Crowmania. De son côté, Qwilleran partit pour Mooseville afin de se rendre à la course de dog-carts.

Sur la route du lac, la circulation était anormalement dense. Avant même d'avoir atteint les limites de la ville, il vit des voitures, des camionnettes et des pick-up garés dans les cours des fermes aussi bien que sur les bas-côtés de la route. Une foule de piétons se dirigeait vers la ville dont le centre était bloqué. Seuls les véhicules des officiels et les voitures de course étaient admis. Qwilleran sortit sa carte de presse et on lui dit d'aller se garer au parking de la marina.

Jamais il n'avait vu autant d'enfants réunis dans un même endroit, hurlant pour attirer l'attention, criant de joie, sautant de tous les côtés, se perdant, se bousculant, trépignant... Les adultes — en nette minorité — avaient des bébés dans les bras, des tout petits dans des poussettes ou suspendus dans des sacs à dos.

Les deux parkings de l'hôtel étaient entièrement réservés à un usage officiel : l'un servait de circuit, l'autre de paddock.

Wayne Stacy aperçut Qwilleran et vint lui expliquer le système. Quarante jeunes conduiraient quarante chariots miniatures tirés par quarante représentants de la race canine. Il y avait des boxers, des retrievers, des chiens de chasse, des pit-bulls, des terriers, des huskies, des bergers allemands, un schnauzer géant et de très nombreux bâtards, tous classés selon leur poids. Les jeunes conducteurs portaient des numéros dans le dos, les chiens avaient des boléros aux couleurs de la famille. Un adulte accompagnait chaque unité dans le paddock ; un second adulte, membre de la famille, se tiendrait sur la ligne d'arrivée.

Au fil des années la compétition était devenue une sorte de carnaval. Les voitures étaient décorées avec du papier peint ou du papier crépon et les petits conducteurs arboraient des costumes fantaisistes. On pouvait voir des astronautes, des ballerines, des diables rouges, des pirates, des cow-boys et des cow-girls, des clowns et des chats noirs se mêlant à quarante chiens, quatre-vingts adultes et aux nombreux officiels harassés.

— Cela semble être le chaos le plus total, dit Qwilleran, mais je suppose que vous avez déjà connu ça.

— Bien sûr, en trente ans ! dit Stacy. Certains des jeunes parents ont été des participants, naguère.

— N'est-ce pas un peu aventureux ?

— Nous n'avons jamais perdu un gosse ou un chien, ni connu le moindre accident.

— Eh bien, j'aimerais que vous m'expliquiez le processus.

— Très bien. Il y a les préliminaires et la finale. Vous annoncez les noms et les numéros des coureurs dans chaque épreuve. Cinq unités viennent du paddock pour se mettre en place. Le sifflet retentit et ils démarrent. Maman et papa les attendent sur la ligne d'arrivée en encourageant les chiens.

— Comment saurai-je qui est qui et quoi est quoi ?

— Cecil Huggins vous donnera les informations au fur et à mesure. A la fin vous remettrez deux trophées, classe A et classe B. Des photographies seront prises.

— En quoi consistent les trophées ?

— Des timbales gravées et chaque gosse reçoit en plus un cornet de crème glacée et un petit quelque chose à ramener à la maison. Tous les chiens gagnent un os.

— Dois-je remettre les os ?

Les deux hommes s'étaient exprimés en hurlant dans l'oreille l'un de l'autre et quand Qwilleran se rendit devant le micro, même sa propre voix amplifiée avait des difficultés à dominer le tumulte. Le niveau de décibels doubla quand le premier coup de sifflet retentit.

Les spectateurs acclamaient leurs favoris et criaient à chaque événement inattendu. Un basset quitta la piste à mi-course pour trotter sur le bas-côté en reconnaissant des visages amis... Un peu plus loin deux chiens qui étaient encolure contre encolure se mirent à se battre, renversant leurs conducteurs... Le schnauzer géant franchit la ligne d'arrivée et continua dans la Grande-Rue tandis que son conducteur criait et que les officiels se lançaient à sa poursuite.

A travers toutes ces vicissitudes, Qwilleran serra les dents et fit son travail.

Le grand champion de la classe B était un bâtard jaune et brun portant un boléro en jean avec une petite cow-girl de quatre ans aux rênes.

— Ils se sont entraînés, dit Qwilleran à Cecil.

— Tout le long de l'année ! Ces courses sont prises très au sérieux.

Dans la classe A le champion était un labrador noir portant un boléro rouge, blanc et bleu avec un astronaute de sept ans comme conducteur.

Qwilleran s'adressa au père de l'astronaute :

— Ne faites-vous pas partie de la pêcherie Scotten ? Je vous y ai rencontré lorsque j'ai écrit une chronique sur la pêche industrielle. Je suis Jim Qwilleran.

— Bien sûr. Je suis Phil Scotten. Vous êtes sorti avec nous et vous nous avez aidés à tirer les filets. Votre article était excellent.

— Merci. C'était une expérience inestimable... Vous avez un beau chien.

— C'est vrai. Einstein est un ancien chien de la police dressé pour rechercher la drogue. Il est très intelligent. C'est ce que l'on appelle un « chasseur passif ». Quand il découvre quelque chose, il se contente de s'asseoir.

— Vraiment ?

Qwilleran caressa sa moustache tandis qu'une idée saugrenue lui venait à l'esprit. Il y réfléchit un peu plus en se rendant au parking, au bord du lac, où les voitures de course étaient chargées dans des pick-up.

Il s'approcha de l'équipe d'Einstein et dit :

— Je viens d'avoir une idée un peu folle. Il y a là un bateau que je songe à acheter. Einstein accepterait-il de le renifler ?

— Bien sûr. Il aimera probablement ça.

Les deux hommes et le chien se dirigèrent vers le *Suncatcher* et montèrent à bord. Einstein renifla en passant la tache sur le pont et les points noirs sur le linteau, mais ce fut surtout la cabine qui l'intéressa. Ils l'emmenèrent en bas. Il inspecta tout... et finit par s'asseoir.

— Je pense qu'il est fatigué, dit le pêcheur. Il vieillit et il a eu une rude journée.

En retournant au chalet, Qwilleran tapota sa moustache avec l'un de ses poings. Maintenant, il avait quelque chose de pertinent à discuter avec Brodie.

D'abord le rendez-vous entre le *Suncatcher* et le *Fast Mama*, puis la disparition d'Owen, enfin l'attitude d'Einstein.

Quant à son invitée, si elle ne partait pas dimanche, il était prêt à la jeter dehors comme Wetherby l'avait suggéré. Cependant, il préférait faire montre de psychologie. Par exemple, il pouvait semer des allusions à son départ au cours de la conversation pendant le dîner.

Durant le cocktail : J'ai certainement apprécié votre visite, Tess.

Avec le potage (elle avait promis du gaspacho) : J'espère que vous avez trouvé ce voyage intéressant.

Avec le steak au poivre : N'hésitez pas à me téléphoner à propos des futurs développements à Crowmania, tels qu'une guerre civile ou un coup d'État militaire.

Avec le dessert : On s'attend à de violents orages à partir de demain midi.

Avec le café : Combien de temps faut-il pour aller à Horseradish ?

L'excellent dîner fut servi sous le porche et Qwilleran lança ses allusions comme prévu. Ensuite il ajouta :

— Je vais ranger la cuisine au cas où vous auriez quelque chose à faire.

« Vos bagages, par exemple », pensa-t-il.

— Merci, dit-elle. J'aimerais téléphoner à ma cat-sitter. La dernière fois que nous nous sommes entretenues, Princesse avait un comportement bizarre.

— Vous lui manquez, s'empressa d'affirmer Qwilleran. Les femelles sont spécialement bouleversées par une longue absence.

Le téléphone étant posé sur le bar, il ne put manquer d'entendre la conversation.

— Salut, Sandy. C'est encore moi. Comment va Princesse ?... Tousse-t-elle toujours ?... Donnez-lui une de ces pilules. Vous n'avez qu'à la mélanger à sa nourriture. Espérons qu'elle la gardera... Recommandez à Jeoffrey de ne pas l'énerver... Non, je ne sais pas encore quand je vais rentrer. Je suis occupée à rassembler des amis pour la République de Crowmania, mais je garderai le contact.

Qwilleran eut une autre idée. Il dit à son invitée :

— Avant votre départ, je voudrais enregistrer votre histoire sur le capitaine Bunker et les pirates. *Pourquoi ne le ferions-nous pas maintenant ?*

Il prit soin de mettre une note d'urgence dans sa question.

— Je serai ravie de vous la raconter à nouveau, dit-elle, mais d'abord il faut que j'aille donner à manger à nos amis sur la plage.

Elle avait jeté des grains de blé sur le rivage une ou deux fois par jour et la famille de sept qui intéressait Koko s'était développée et comptait plus de quarante individus.

Puis, toujours insensible aux insinuations de Qwilleran, elle reprit :

— Savez-vous que l'épicerie Grott a des œufs de cane ? Je n'ai pu résister et j'en ai acheté quatre pour le petit déjeuner. Nous ferons une omelette aux champignons. J'ai aussi acheté leur délicieux cheddar pour faire des macaronis au fromage. Je vais en préparer un plat après le petit déjeuner, nous le servirons au déjeuner.

Elle avait touché deux points vulnérables de l'appétit considérable de Qwilleran. Anéanti, il ne put que murmurer :

— Cela me paraît alléchant.

Puis il se remit à raisonner. Les acteurs avaient besoin d'un auditoire, les écrivains de lecteurs et les cuisiniers de bouches à nourrir.

— Yao ! fit Koko.

— Il parle davantage que Jeoffrey, remarqua-t-elle.

— Koko est communicatif.

Ils étaient assis sous le porche du côté du lac, attendant que les hirondelles pourprées viennent exécuter leur ballet nocturne au cours duquel chaque oiseau consommait son poids de moustiques selon une sagesse conventionnelle. Yom Yom était sur une chaise, Koko sur son piédestal.

— C'est un chat très brillant, poursuivit Qwilleran. C'est parce que je leur fais la lecture à haute voix. Yom Yom s'endort, mais Koko écoute et son cerveau absorbe la signification même si ses oreilles ignorent les mots.

— Transmission de pensée, approuva-t-elle. Mais comment communique-t-il ?

— Il trouve toujours un moyen. Ses sens sont incroyablement développés. Il sait quand le téléphone va sonner. Il y a deux semaines, il a su qu'un corps était enseveli sous une dune de sable et il m'y a conduit.

— Tous les chats possèdent une sorte de prescience jusqu'à un certain point, répondit Tess. Ils savent qu'un orage approche ou même un tremblement de terre. Avez-vous fait des études sur les aptitudes de Koko ?

— Non ! Je ne veux pas d'étude et surtout pas de publicité à ce sujet. Cette conversation doit rester strictement entre vous et moi. J'espère que j'ai votre parole ?

— Absolument. En rentrant chez moi, je vais me mettre à faire la lecture à Jeoffrey et à Princesse.

CHAPITRE XVI

Le dimanche matin le soleil brillait en dépit des prédictions météorologiques, et Tess revint du Petit Nid en short, sandales et avec un autre modèle de T-shirt, représentant trois constructeurs de nid.

— Tout le monde hors de la cuisine, ordonna-t-elle gaiement. La pauvre cuisinière de service va accomplir des merveilles ! A propos, ajouta-t-elle en ramassant une brochette, une de vos brochettes tombe constamment de son clou.

— Ce n'est pas un accident, dit Qwilleran, Koko croit que c'est un jeu. C'est une erreur de ma part de les avoir suspendues là. Y a-t-il quelque chose que je puisse faire pour vous ?

— Vous pourriez aller jeter du blé sur la plage.

— Il n'y a pas de corbeaux aujourd'hui, protesta-t-il.

— Jetez du blé et ils viendront.

Elle avait raison. Ils sortirent du bois en un nuage noir. Qwilleran s'écarta de leur chemin et revint sur le porche dominant le lac pour attendre l'omelette. Le ciel était bleu indigo (une des couleurs favorites de Polly) et l'eau étincelait. Il n'y avait sûrement pas d'orage imminent. De la cuisine venait un arôme mêlé de beurre fondu, de champignons sautés, de café et de muffins chauds. Avec des sentiments de haute satisfaction il imagina pour la énième fois sa réunion avec Polly.

Elle serait heureuse de sa nouvelle veste et lui rapporterait sans aucun doute quelque chose du Canada ; une sculpture inuit, ou un CD de jazz canadien français. Elle serait ravie de voir Derek dans un poste de responsabilité à *Owen's Place*. Elle avait toujours été convaincue de ses possibilités. L'adhésion, à contrecœur, d'Arch au club de tricot l'amuserait et elle voudrait tout savoir de la parade, du nouveau bateau de Bushy, et de la broderie venant de Safe Harbor. Elle serait navrée de l'impopularité d'Owen et chagrinée par sa disparition *lacustre*. (Un bon mot, Polly l'apprécierait !)

Il éviterait de mentionner le *Suncatcher* et le *Fast Mama*. Elle s'alarmerait de le voir prendre des investigations en main.

Quand le petit déjeuner fut servi, Qwilleran, paraphrasant Dickens, déclara :

— Il n'y eut jamais une telle omelette...

— Merci, dit Tess. En toute modestie, j'avoue que je fais les meilleures du monde, bien que l'on prétende qu'une cuisinière qui fait des omelettes parfaites ne sait rien faire d'autre. Que pensez-vous des œufs de cane ? Ils sont moelleux, parce que les canards sont amphibies et plus riches en graisse.

— Pourquoi figurent-ils si souvent dans des expressions argotiques comme les canards boiteux, lancer un canard, froid de canard... ?

— L'argot est rempli d'allusions à des produits comestibles : faire des boulettes ou faire un fromage, quelque chose de facile, c'est du gâteau.

— Ou de la tarte.

Après le petit déjeuner, alors que Tess préparait le plat de macaronis promis, Qwilleran se rendit en ville pour acheter le *New York Times* et s'installa dans la véranda de l'hôtel afin de lire un peu, d'écouter les derniers potins et de surveiller l'activité du port. Il avait une vue directe sur les bureaux de la marina et fut assez surpris de voir l'assistante du shérif et un homme de la police d'État regarder le *Suncatcher*. Si le propriétaire d'Einstein avait prévenu les autorités du comportement du chien, c'était parfait ! Selon Qwilleran, la police avait traîné les pieds assez longtemps. Si une enquête impliquait Ernie dans une sale affaire, ce serait regrettable. Il la voyait à travers le regard enthousiaste de Derek ; quant à lui, il admirait ses qualités de cuisinière, et il était enclin à sympathiser avec quelqu'un qui n'était pas « l'un des nôtres ».

Qwilleran retourna au chalet et trouva Tess sous le porche, plongée dans la lecture d'un livre sur les corbeaux. Il demanda :

— Disent-ils vraiment « jamais plus » ou bien est-ce une licence poe-étique ?

— Pour un jeu de mots aussi mauvais, vous devrez payer une amende !

— Nous mettrons-nous d'accord sur un verre de sangria ?

— Très volontiers ! Et pendant que vous serez à la cuisine, voulez-vous allumer le four, thermostat 180 s'il vous plaît ?

Finalement le plat fut mis à cuire pendant cinquante minutes et ce qui se passa au cours de ce laps de temps fut une farce digne de Feydeau : vive, comique, improbable, et mieux décrite selon les notes de Qwilleran dans son journal personnel.

Dimanche 14 juin
Belle journée, malgré l'orage annoncé et l'appréhension des chats.

A 13 h 15, Tess et moi sommes sous le porche du lac buvant respectivement un verre de sangria et un verre de jus de canneberge. Les chats sont blottis dans un coin. Soudain les voilà en alerte. Quelqu'un approche sur la plage. Une jeune femme vêtue d'un short, portant des lunettes noires et un grand paquet, arrive. Elle gravit l'échelle de sable et je m'approche pour voir ce qui se passe. S'exprimant d'une voix languissante, avec des pauses pour reprendre sa respiration, elle explique :

— Salut, Mr. Q. Je vous apporte... votre broderie. Mon oncle... l'a encadrée...

C'est Janelle de Safe Harbor !

A 13 h 25, elle est sous le porche. Je la présente à Tess et vais lui chercher un verre de sangria. Pendant que je suis à la cuisine, je vois un pick-up rouge arriver et Barb Ogilvie en short et lunettes noires en descent, tenant, elle aussi, un grand paquet.

— Je vous ai apporté votre veste, dit-elle d'un ton maussade. Elizabeth a dit que je devais la livrer absolument aujourd'hui.

Je l'emmène sous le porche pour lui présenter les autres et lui offre un verre de sangria.

A 13 h 30, je prépare une autre carafe de sangria pendant que Tess leur parle d'un vieux médecin qui traitait toutes les maladies de la même façon : régime au raifort, cataplasmes de raifort, inhalations au raifort. Ses patients ne mouraient jamais. Ils finissaient par s'évaporer !

A 13 h 35, j'entends un klaxon derrière le chalet. C'est une voiture louée à l'aéroport, d'où descend Polly ! Avec un choc je lui dis :

— Mais votre avion ne devait arriver que demain !

Elle répond avec esprit :

— Je n'ai pu attendre un jour de plus et je me suis envolée sur mon balai !

Je la conduis sous le porche et la présente aux trois jeunes femmes. Elle est quelque peu surprise.

A 13 h 40, Tess sort le plat du four. Je me demande s'il y en aura assez pour cinq personnes.

A 13 h 45, le soleil se cache sous une couverture de

nuages et toutes les lunettes noires sont retirées. Barb a l'air affreuse sans elles ; elle a pleuré.

A 13 h 50, le téléphone sonne. Je décroche. Une voix d'homme crie :

— Où est-elle ? Où est cette femme ?

Je réponds avec calme :

— J'en ai quatre ici. Laquelle voulez-vous ?

C'est Wetherby. Tess est supposée être à Horseradish comme hôte d'honneur à la réunion familiale. Cinquante parents sont venus de partout pour rencontrer la première Bunker détentrice d'un doctorat. Il y a les photographes de deux journaux.

Je retourne sous le porche et dis à Tess :

— C'est pour vous.

Elle se précipite sur le téléphone et s'exclame :

— Oh, non ! Oh, non !

A 13 h 55, elle revient sous le porche en ouvrant de grands yeux :

— Je dois partir. Je vais faire mes valises. Mais il y a une voiture qui bloque l'allée.

C'est la voiture de location et je propose de la déplacer, mais Polly veut retourner à Pickax pour voir Brutus et Catta.

A 14 heures, Polly s'en va en disant qu'elle me téléphonera.

A 14 h 5, Tess part, pleine d'embarras et de remords. Je lui conseille de conduire avec prudence.

A 14 h 10, Jamelle s'en va parce qu'elle croit qu'il va pleuvoir.

A 14 h 15, Barb part à son tour, l'air plus désemparé que jamais. Je lui demande si quelque chose ne va pas. Elle hoche la tête, mais prétend qu'elle ne peut rien dire.

A 14 h 20, elles sont toutes parties et j'ai enfin l'occasion de regarder l'encadrement de ma broderie (joli) et la veste tricotée à la main de Polly (sensationnelle).

A 14 h 25, le ciel devient d'un gris jaunâtre. Il y a un étrange sifflement en haut des pins. Il règne une atmosphère surnaturelle. Soudain Koko se lance dans une course effrénée, renversant des objets, éparpillant tout sur son passage. Je lui crie :

— Le chat de Christopher Smart n'aurait jamais fait un tel saccage dans la maison ! C'était un parangon de toutes les vertus, *car il ne se livrait jamais à aucune destruction quand il était bien nourri.*

Koko s'agite de plus belle comme s'il était fatigué d'entendre toujours célébrer les louanges de Jeoffrey.

A 14 h 30, je ferme les fenêtres de la maison d'amis et de la camionnette, et j'empile les meubles du porche nord. L'orage du Canada arrive.

A 14 h 35, il fait vraiment sombre. Il faut donner de la lumière. Toutes les portes et les fenêtres sont closes. Je m'assieds pour attendre l'orage de pied ferme. Mais où sont passés les chats ? Ils ne sont nulle part en vue. Où est le plat de macaronis au fromage ? Je crie :

— Koko !

De l'office me parvient un « yarkle », mi-miaulement, mi-déglutition.

Tous les deux sont sur le comptoir, têtes baissées, queues dressées. Ils dévorent le fromage, le raifort et la sauce, en évitant soigneusement les macaronis.

Le vent et la pluie qui s'abattirent sur les communautés au bord du rivage le dimanche après-midi étaient une véritable rafale — brève mais violente. En cinq minutes la surface du lac passa d'un état d'immobilité transparente à une fureur déchaînée. Une pluie cinglante claqua le long du côté nord du chalet, se déversa sur les vitres, se glissa sous les portes et autour des fenêtres. Qwilleran s'occupa d'éponger l'eau avec une serpillière et de la vider dans un seau. Puis le coup de vent s'arrêta aussi brusquement qu'il avait commencé, bien que la pluie continuât à tomber, mais en lignes verticales, au lieu de lignes horizontales. Les dommages à l'intérieur, cependant, étaient entièrement dus à la crise de folie de Koko : tapis froissés, lampes renversées, livres et papiers éparpillés sur le sol et des mètres de papier absorbant déroulés à la cuisine.

La bonne nouvelle était que le courant n'avait pas été coupé et le téléphone gardait sa tonalité. Il appela Polly.

— Juste pour m'assurer que vous étiez bien arrivée à la maison.

— Heureusement, j'étais chez moi avant l'orage. Maintenant il pleut seulement normalement, à verse mais pas de façon destructive. Et chez vous ?

— Nous avons une pluie diluvienne, mais le pire est passé. Les chats ont-ils été contents de vous voir ?

— Catta l'était. Elle est trop jeune pour savoir qu'elle est supposée me faire la tête pendant vingt-quatre heures après une absence prolongée.

— Eh bien, vous êtes probablement fatiguée et devez avoir à faire.

— Je reconnais que je suis épuisée.

— Préparez-vous une bonne tasse de thé et écoutez Lorna Doone, dit-il, connaissant ses goûts. Vous me direz demain s'il y a quelque chose que je peux faire. Vous allez avoir besoin d'épicerie. J'espère pouvoir rentrer à Pickax demain matin, dès que la pluie aura cessé.

Il raccrocha et se mit à réparer le désordre créé par Koko à l'intérieur du chalet. Patiemment, il enroula le papier, redressa les lampes et remit les cartes postales à leur place.

Ces vide-gouttières, comme les gens du cru appelaient ce genre d'orage, continuèrent toute la nuit, frappant le toit du chalet, alarmant les chats. Ils avaient l'habitude du haut plafond de la grange à Pickax où les bruits étaient plus assourdis ; dans ce petit chalet, les intempéries étaient trop proches pour leur confort. Qwilleran permit à Yom Yom de se glisser sous ses couvertures, suivi par la suite du vaillant Koko.

Le lundi matin, il pleuvait toujours autant et les routes autour de Mooseville étaient inondées. Qwilleran devrait rester un jour de plus au chalet. L'intérieur était lugubre, même avec toutes les lampes allumées, et les chats étaient mélancoliques.

— Estimez-vous heureux, leur dit Qwilleran. Ce pourrait être pire.

Néanmoins, ils se blottissaient sur le sol, se regardant face à face, dans une attitude d'ennui guindé. (Leur faire la lecture à haute voix était inutile en raison du tapage de la pluie sur le toit.) Alors seulement Qwilleran se rappela le Chat Calicot. Il le retrouva dans un tiroir et le plaça sur le sol devant leurs nez abattus.

Koko allongea le cou pour le renifler puis se renferma dans la même torpeur. « Au temps pour l'art folklorique américain contemporain ! » pensa Qwilleran. Yom Yom, quant à elle, montra quelques signes d'intérêt.

— C'est Gertrude, présenta Qwilleran. Elle est venue pour vivre avec vous.

Émettant d'étranges commentaires, Yom Yom s'approcha en rampant et sentit consciencieusement le jouet avant de lui donner quelques coups de langue. Puis elle referma la gueule sur le cou de l'objet et le transporta dans sa cachette favorite, sous le divan. Gertrude était adoptée.

C'était un point rose dans un jour gris, et il inspira un geste à Qwilleran. Il téléphona à la fleuriste au centre de Pickax. Il reconnut la voix veloutée de Claudine, une charmante jeune personne avec d'innocents yeux bleus.

— Bonjour, dit-il. Pleut-il toujours des cordes à Pickax ?

— On dirait Mr. Q. D'où appelez-vous ?

— Du repaire élu par le canard sauvage et le héron...

— Oh, Mr. Q., je ne sais jamais quand vous êtes sérieux et quand vous plaisantez !

— Vos fleurs fraîches sont-elles arrivées, ou bien soldez-vous encore celles de la semaine dernière ?

— Là, vous êtes méchant ! On décharge justement le camion qui vient renouveler le stock. Qu'aimeriez-vous ?

— Un bouquet composé pour Polly, à livrer au Village Indien toutes affaires cessantes.

— J'espère qu'elle n'est pas malade ?

— Elle souffre d'une dépression classique de retour de vacances et je veux que les fleurs lui arrivent pendant qu'elle se sent abattue.

— Notre camionnette de livraison ne passe pas au Village Indien avant midi.

— Trop tard ! Faites livrer les fleurs par taxi et portez la course sur la facture.

— Que doit-on mettre sur la carte ?

— Seulement : « De la part du garçon épicier. »

Comme Claudine hésitait, il épela le message.

— Oh ! Du *garçon épicier* ! Vous êtes toujours aussi plaisantin, Mr. Q. !

— Ne raccrochez pas, dit-il. Je veux aussi que vous livriez une grosse gerbe de fleurs à un restaurant de Mooseville demain. Les routes seront ouvertes à la circulation. C'est *Owen's Place* dans Sandpit Road. L'établissement est décoré en blanc, rose et jaune. Mettez seulement sur la carte « de la part d'un ami ». Et faites une gerbe un peu spéciale, c'est un restaurant de grande classe.

Moins d'une heure plus tard, Qwilleran reçut un appel téléphonique et une voix féminine demanda gaiement :

— Est-ce le garçon épicier ? J'aimerais avoir une douzaine d'oranges.

— Avec ou sans pépins ?

— Cher Qwill, vos fleurs sont magnifiques ! Merci beaucoup. Elles ont été livrées en taxi ! C'est bon d'être à la maison.

— Je dois dire que j'ai eu un choc en vous voyant, hier.

— Je reconnais que j'ai également eu un choc de voir cette assemblée de jeunes beautés sous votre porche — toutes en short et lunettes noires. Je ne vous demanderai pas d'explication.

— Parfait ! Et je ne vous demanderai rien au sujet de ce charmant professeur érudit qui essayait de vous persuader de rester plus longtemps dans la ville de Québec.

— Nous aurons beaucoup de nouvelles à échanger demain soir, mon ami. Pleut-il toujours au bord du lac ?

— A verse ! Au chalet tout est humide : mes vêtements, les sièges, la fourrure des chats, mes livres. Celui que je lis est positivement trempé. J'en ai changé le titre : *Un Yankee trempé à la cour du roi Arthur* !... A demain !

La pluie continuait à tomber et Qwilleran se sentait devenir fou. Il était incapable de se concentrer pour lire ou écrire. C'était surtout le bruit ! On aurait dit les chutes du Niagara, sans les cartes postales. Jusqu'à présent aucune fissure ne s'était produite dans le toit, mais l'abri était tout ce que le chalet avait à offrir. Les chats jouaient à Yin et Yang sur le divan, les oreilles de chacun cachées dans la fourrure de l'autre. Qwilleran se posa la question : Allait-il dégeler un hamburger de seconde classe pour déjeuner ou bien s'aventurerait-il dehors au risque de se noyer ? Il pouvait aussi aller manger un hamburger de seconde classe à l'hôtel.

Tenant sa veste imperméable au-dessus de sa tête, il courut jusqu'à la camionnette et partit pour Mooseville. Il y avait peu de circulation sur la route. Les véhicules roulaient avec précaution tandis que les conducteurs cherchaient à distinguer quelque chose à travers un pare-brise rendu opaque par les rafales de pluie. Cependant, il n'y avait encore aucune inondation. Le terrain sablonneux drainait bien l'eau. Mais combien pourrait-il en absorber encore ? Déjà les fossés ressemblaient à des caniveaux.

En ville, beaucoup de voitures étaient garées dans les parkings, mais tout le monde était à l'intérieur des maisons. Il y avait foule dans le hall de l'hôtel et au café — de sombres vacanciers, paraissant désœuvrés et moroses. Certains étaient assis dans la véranda et regardaient la pluie frapper le trottoir assez fort pour rebondir verticalement et former des milliers de petits geysers.

Wayne Stacy parut relativement gai en voyant Qwilleran :

— Que pensez-vous de cela ? Heureusement, le beau temps s'est maintenu jusqu'après la course. La chambre de commerce devrait adresser une gratification au météorologue. Et nous avons mis en route le nouveau collecteur d'égouts juste à temps, grâce au Fonds K. Quand je pense que ces stupides électeurs avaient refusé trois fois toute augmentation d'impôts avant que nous ne fassions appel à une aide !

— Ils ne sont peut-être pas aussi stupides que cela puisque vous avez finalement obtenu satisfaction sans qu'ils aient à délier leur bourse, observa Qwilleran. J'espère que ce déluge s'arrêtera à temps pour l'ouverture d'*Owen's Place*.

— Même si cela se produit, combien de clients s'aventureront-ils dehors ? On dit à la radio que les routes continuent à être inondées et impraticables... Êtes-vous venu déjeuner ? Dans ce cas, vous êtes notre invité !

Après le déjeuner, Qwilleran s'arrêta rapidement chez le quincaillier pour acheter des batteries électriques, car une telle pluie provoquait souvent des chutes d'arbres entraînant des pannes de courant.

Cecil Huggins déclara :

— Nous avons vendu tous les réchauds de camping et les bouillottes en stock. Grott est à court de pain et de lait. Les gens s'attendent au pire. Et on se fait du souci au sujet de l'élévation du niveau du lac et de l'érosion de la plage.

— Si chaque goutte de pluie est assez grosse pour remplir un petit verre, combien faudra-t-il de petits verres pour élever le niveau d'un lac de cinquante mille kilomètres carrés d'un centimètre ?

Le grand-oncle de Cecil était pessimiste :

— Quand le Géant de sable se fâche, il devient furieux. Et il s'en prend à quelque chose ou à quelqu'un.

De là, Qwilleran se rendit chez *Elizabeth's Magic*, sachant qu'il y avait toujours quelqu'un le lundi, qu'il vente ou qu'il pleuve. Il se gara le long du trottoir, dans le mauvais sens, et courut pour aller se mettre à l'abri. Quand il frappa à la porte, Derek arriva du fond pour lui ouvrir.

— Salut, Mr. Q. ! Que pensez-vous de cette pluie ?

— Le Géant de sable était fatigué d'entendre tout le monde se plaindre de cet été trop sec.

— Venez dans l'arrière-boutique prendre un café. Je suis en train de trier les livres et je serais bien content de me reposer un peu.

Ils s'installèrent sur les chaises arachnéennes.

— Où est Elizabeth ?

— A Grand Island pour fêter l'anniversaire de son frère. Ils sont venus la chercher hier dans le yacht familial — l'*Argonaute*. Vous l'avez peut-être vu au port ? Son père était féru de grec et de latin. Il avait appris l'alphabet grec à Liz. Connaissez-vous quelqu'un capable de réciter l'alphabet grec ?

— Pas dans le comté de Moose.

— Liz me l'apprend : alpha, bêta, gamma, delta... je n'ai pas encore réussi à aller plus loin.

Qwilleran tripota sa moustache; il y avait ici des réponses aux questions.

— Ces livres de son père qu'elle place dans sa bibliothèque de prêt... je suppose qu'ils ne sont pas en grec ou en latin?

Derek rit — un peu nerveusement.

— Non, non, rien de pareil.

— Personne n'a jamais dit ce que le vieux monsieur collectionnait, insista Qwilleran. Ne me dites pas que c'est pornographique et que Liz ouvre une bibliothèque pour adultes en plein centre de Mooseville.

Il y eut une autre réponse négative assez nerveuse.

— Allons, Derek, suis-je supposé jouer au jeu des vingt questions? Qu'est-ce qui m'empêche d'aller jeter un coup d'œil dans la réserve?

— Entendu. Mais promettez-moi de ne pas répéter à Elizabeth que j'ai vendu la mèche... Eh bien, son père possédait tout ce qui a jamais été écrit sur les OVNI — dans toutes les langues. Il a *Les Chariots des dieux* dans l'édition originale en allemand.

Qwilleran tira sur sa moustache.

— Et pourquoi en fait-elle un tel secret?

— Eh bien, vous savez comment vous êtes, vous et Arch Riker, à propos des OVNI. Quand la publicité s'étalera dans les journaux de Chicago et sur les chaînes de télévision, elle pense que vous céderez et couvrirez l'événement.

— Et vous vous attendez à ce genre d'attention sur le plan national?

— Eh bien, le service des relations publiques du Fonds K. s'en occupe. Une délégation est venue pour contrôler les faits. Vous comprenez, ce n'est pas un simple artifice publicitaire. Des chercheurs sérieux sont intéressés. Certains livres de valeur ne seront disponibles que pour les savants.

Qwilleran tira encore sur sa moustache. Derek reprit sur un ton implorant :

— Promettez-moi de ne rien répéter de tout cela. Autrement j'aurai de gros ennuis.

— Je promets. Mais une question encore : qui va cataloguer tous ces livres ?

— Son père les avait tous répertoriés.

— Je vois... Bon, il vaut mieux que je rentre pour vérifier que le chalet n'a pas été emporté par les flots. J'ai appris que votre pièce avait été écourtée à cause de la pluie, hier soir. Le restaurant va-t-il ouvrir demain ? Les routes restent inondées.

— Je sais. J'en ai discuté avec Ernie au téléphone, mais elle est bien décidée à ouvrir coûte que coûte... Attendez une minute, Qwill, je vais vous donner un des nouveaux menus.

CHAPITRE XVII

Il pleuvait toujours. En rentrant au chalet le lundi après-midi, Qwilleran trouva deux chats pleins de reproches blottis sur la table à thé, lui lançant des regards accusateurs. Deux cartes postales étaient tombées sur le sol.

— Cela ne me plaît pas plus qu'à vous, dit-il. Ayez des pensées sèches et cela s'arrêtera peut-être.

C'était le milieu de l'après-midi, en juillet, mais il faisait aussi sombre qu'en une soirée de janvier. Il alluma toutes les lampes et se laissa tomber sur le divan avec le nouveau menu d'*Owen's Place*. En le lisant du point de vue de Polly, il devina qu'en guise d'apéritif elle choisirait les pâtissons miniatures, rôtis avec une farce de riz sauvage, de blé frais et d'oignons caramélisés. Comme entrée, elle aimerait probablement des filets de saumon dans une pomme de terre creusée servie avec des champignons shiitake, du risotto au safran et du beurre blanc à la ciboulette.

Le téléphone sonna, les faisant sursauter tous les trois. Une voix d'homme particulièrement grincheuse déclara :

— J'ai essayé de vous joindre tout l'après-midi. Où étiez-vous donc ?

— Dans l'antre du canard sauvage et du héron, répliqua Qwilleran.

Toute leur vie, Arch Riker et lui avaient eu leur franc-parler l'un vis-à-vis de l'autre.

— Cette pluie me rend fou, poursuivit Arch. Si seulement elle s'arrêtait ne serait-ce que cinq minutes de temps en temps, je l'accepterais, mais elle est incessante. Mildred s'en tire en faisant la cuisine. Pourquoi ne viendriez-vous pas dîner avec nous ?

— Qu'y a-t-il au menu ?

— Des gombos. Elle a fait aussi une sorte de tarte. Venez quand vous voudrez. Je suis en train de me préparer un martini.

Qwilleran changea de chemise, donna à manger aux chats et dirigea la camionnette sous la pluie battante jusqu'en Haut des Dunes.

Mildred l'accueillit à la porte de la cuisine.

— Que vous êtes courageux de sortir sous ce déluge, Qwill !

— Je ferais n'importe quoi pour un repas gratuit, spécialement si c'est vous qui l'avez préparé. Quel genre de tarte nous avez-vous concoctée ?

— Une nouvelle recette à base de fraise et de crème au citron. Arch est au salon avec son cocktail. Puis-je ajouter quelque chose de créatif à votre jus de tomate ?

— S'il vous plaît. Et n'oubliez pas un peu de sauce forte.

— Arch est d'une humeur massacrante. Essayez de le distraire.

Qwilleran trouva son ami maugréant devant son écran de télévision. Il lui dit pour plaisanter :

— Ne prenez surtout pas la peine de vous lever pour m'accueillir, Arch.

— Je n'en avais pas la moindre intention.

— Si vous voulez que je reste, il faut amender vos manières et pour commencer éteindre ce tube cathodique. Je vous ai apporté le nouveau menu d'*Owen's Place.*

— Je meurs d'envie de savoir ce qu'ils offrent, dit Mildred.

— Très bien. Que pensez-vous de cela comme amuse-bouche : petit filet de venaison avec du bacon grillé, strudel de chou braisé et cerise Bing demi-glacée ?

— C'est ridicule ! dit Arch. Parlez-moi plutôt des bons vieux plats traditionnels préparés par Millie.

— Traditionnels, mais avec une pincée d'amour sur le tout, corrigea-t-elle.

— A propos de cuisine, dit Qwilleran, j'ai eu les services d'une cuisinière à demeure pendant quelques jours.

Il fit une pause assez longue pour savourer l'étonnement de ses amis, puis il leur parla de la cousine de Wetherby et de sa proposition relative aux corbeaux.

— Ne vous lancez pas dans un projet inconsidéré, objecta Arch avec pétulance. Si vous n'avez pas assez de travail, nous ferons paraître « la Plume de Qwill » trois fois par semaine. Les abonnés le réclament depuis longtemps.

— Laissez-les réclamer.

Qwilleran n'avait jamais vu Arch aussi disposé à argumenter à tout propos, mais il n'avait jamais vu de pluie aussi désagréable.

Les gombos étaient accompagnés de toutes les bonnes choses que Mildred avait tirées de son garde-manger : poulet, crevettes, saucisses, plus du riz, des légumes et des épices.

Au cours du dessert, Arch déclara :

— Si vous voulez entendre quelque chose d'absurde, écoutez ceci : Junior a reçu une information qui a transpiré à propos d'une bibliothèque qui allait s'ouvrir à Mooseville sur les OVNI. Pouvez-vous croire une chose pareille ?

— Bien sûr. C'est un sujet populaire sur la côte. A l'exception de vous et de moi, tout le monde y croit. Lyle lui-même surveille les soucoupes volantes à l'aide d'un télescope.

— Lyle est fou !

— C'est un homme intelligent et cultivé, dit Mildred avec fermeté.

Se tournant vers son mari, elle ajouta :

— Et tu peux me compter pour une folle de plus !

— Je n'ai jamais dit ça, répliqua son mari.

— Tu le sous-entends !

— Je vais me coucher. Je n'ai pas fermé l'œil de tout ce jour, lança Arch en sortant de la pièce.

— Il a la tête dure, n'est-ce pas ? soupira Mildred. Je n'ose même pas parler des runes que vous m'avez offertes, Qwill. Elles ressemblent un peu aux tarots en ce sens que le lecteur doit apporter un certain instinct pour les interpréter.

— Hum, fit Qwilleran.

Prévoir l'avenir par n'importe quelle méthode le dépassait. Avec un air préoccupé, elle reprit :

— Les pierres disent que nous allons au-devant d'un désastre. On peut présumer que cela est lié à ces pluies inhabituelles qui nous inondent actuellement. Je crois vraiment que nous devrions retourner au Village Indien, mais comment convaincre Arch ? Il se plaît ici — quand il ne pleut pas. Vous et vos chats devriez repartir aussi à Pickax, Qwill.

— Nous en avons l'intention. Maintenant que Polly est de retour, je n'ai aucune raison de rester. Elle va se remettre au travail mercredi et elle aura besoin de moi pour ses achats d'épicerie. Elle a été absente un mois et ses réserves sont épuisées.

— Qwill, je ne comprends toujours pas pourquoi vous et Polly ne vous mariez pas. Vous éprouvez des sentiments forts pour elle et elle vous adore.

— Cela ne marcherait pas, expliqua-t-il. Elle boit

du thé et moi du café. Certaines choses importantes doivent être prises en considération.

En retournant au chalet sous la pluie persistante, Qwilleran pensa à l'intérêt singulier de Mildred pour l'occulte et le compara à ses propres convictions concernant les dons de prescience de Koko. Le chat savait quand le téléphone allait sonner et quand un orage se préparait. Maintenant, Mildred prédisait un désastre dans la région. Malicieusement, il imagina Koko sortant les bagages du placard et cherchant sur les étagères *Voyage avec un âne* de Stevenson. Ce ne serait pas plus farfelu que le soudain intérêt du chat pour le *Conte de cheval* quand Owen Bowen avait disparu. Et que dire du randonneur ? Non seulement Koko avait senti que le corps était enterré sous la dune de sable, mais il s'était arrangé pour conduire Qwilleran sur le site. Et comment expliquer l'obsession du chat pour les cartes postales ? Qwilleran se remémora ce qu'il savait sur les deux hommes représentés. Shaw était un auteur dramatique, critique musical, socialiste, Prix Nobel et il éprouvait une véritable répugnance pour la vivisection ; Wilde était romancier, poète, auteur dramatique et esthète.

— Une minute ! cria-t-il à son volant. Qu'est-ce qui ne va pas chez moi ?

Il prit le risque de conduire plus vite, arriva dans la clairière en un temps record et se précipita à l'intérieur du chalet sans se soucier de se protéger de la pluie.

Comme d'habitude, les deux cartes postales étaient sur le sol.

Pourquoi n'avait-il jamais songé à les retourner ? Il n'avait pas lu les messages de Polly depuis leur arrivée deux semaines plus tôt.

« Nous avons des billets pour *Major Barbara*[1], ce soir. Ce n'est pas ma pièce favorite de Shaw, mais elle sera bien interprétée. »

1. En français *la Commandante Barbara. (N.d.T.)*

« Un acteur masculin joue Lady Bracknell dans *Of the Importance of being Earnest*[1]. Toujours une aussi délicieuse comédie. »

Qwilleran sentit une démangeaison sur sa lèvre supérieure tandis que les messages gribouillés lui remettaient en mémoire Barb Ogilvie et Ernestine Bowen... C'était une pure coïncidence, naturellement... et cependant... Il regarda Koko.

— Yao ! fit le chat en fermant les yeux.

Qwilleran se demanda si les deux jeunes femmes s'étaient connues en Floride. Barb avait-elle travaillé dans le restaurant des Bowen ? Owen était-il « l'homme plus âgé » qui était entré dans la vie de Barb alors qu'elle était déprimée ? Elle prétendait être repartie pour le Nord afin d'éviter des ennuis.

Auparavant, elle avait pu décrire l'été dans le comté de Moose comme un paradis. Owen avait-il répondu à l'annonce de la chambre de commerce à cause du climat, ou en raison de la séduisante jeune femme ? Et quelle avait été la réaction d'Ernie à ce déplacement ? Les suppositions s'embrouillaient. Était-elle ou non au courant de cette liaison ? Ses possibles objections avaient-elles été écartées ? Il y avait davantage dans cette intrigue que ce que l'on pouvait penser à première vue. Des réponses à ces questions pourraient expliquer la dépression de Barb au cours des jours suivant la disparition d'Owen.

Perdu dans ses pensées, Qwilleran regardait le téléphone quand il se mit à sonner.

C'était Tess, qui appelait de Horseradish.

— J'ai appris que vous aviez de la pluie.

— Quelques gouttes.

— Je suis navrée de vous avoir quitté aussi brusquement hier. J'ai passé de si bons moments auprès

1. Association d'idées dans l'esprit de Qwilleran entre les deux noms de femmes : Barbara et Ernestine. (La pièce d'Oscar Wilde a pour titre, en français, *De l'importance d'être constant.*) *(N.d.T.)*

de vous. Merci, Qwill, pour votre hospitalité et pour la merveilleuse idée de scénario. Je vous ai laissé un T-shirt dans l'armoire du Petit Nid. N'hésitez pas à me dire si ce n'est pas la bonne taille. A propos, j'ai parlé à Jeoffrey et à Princesse du régime de gourmet de vos chats et maintenant ils refusent toute nourriture pour chats.

— Réaction prévisible, dit Qwilleran. Comment s'est passée la réunion familiale ?

— Comme d'habitude. Beaucoup de potins et de ragots de toute la famille. Un dîner à la fortune du pot dans la salle paroissiale. Joe a joué du piano et chanté. Il est le seul à s'être intéressé à la République de Crowmania.

Puis elle posa la question inévitable :

— Avez-vous aimé les macaronis au fromage ?

— Je n'en ai jamais mangé de meilleurs, dit-il avec ferveur et seulement une petite entorse à la vérité.

Le mardi matin, personne n'arrivait à y croire : le soleil brillait et l'arrêt de la pluie laissait un vide béni. Rien que pour entendre sa propre voix, Qwilleran s'écria :

— Alléluia !

Avec une ambition restaurée, il écrivit une chronique de mille mots sur la course de dog-carts et la porta à la banque pour être faxée.

En ville, les rues étaient remplies de vacanciers portant des lunettes noires, riant, criant et entrant dans les boutiques pour dépenser leur l'argent. Il n'y avait aucun signe du désastre annoncé par Mildred.

Qwilleran déjeuna au *Pâtés Gâtés* et commanda la spécialité de la maison qui était encore meilleure mangée à deux mains. Tout en savourant ce repas primitif, il songea à *Owen's Place* qui ouvrait à nouveau ses portes pour le déjeuner. Derek jouerait les directeurs efficaces et accueillants, et préparerait les brochettes de pommes de terre près de la table de chaque client avec un panache théâtral. A deux heures il aurait terminé son service et irait faire son compte rendu chez *Elizabeth's Magic.*

Qwilleran décida de rester en ville jusque-là. Il pourrait dire adieu aux commerçants et écouter leurs pires histoires de pluie qu'il utiliserait pour la prochaine « Plume de Qwill » :

— Ce n'est pas tant la pluie qui était insupportable que le bruit. On avait l'impression de vivre dans une soufflerie.

— Pour couronner le tout, mon chien a hurlé pendant toute la nuit.

— La famille tout entière a porté des boules Quiès. C'était la seule façon de pouvoir dormir.

— On se serait cru sous les chutes du Niagara.

Qwilleran commencerait sa chronique avec la définition du dictionnaire sur la pluie : « Eau qui tombe en gouttes des nuages — la descente de ces gouttes. Voir : *Bruine, Crachin.* »

Peu après deux heures, il se rendit chez Elizabeth pour faire envelopper la veste de Polly en paquet-cadeau. Il y avait d'assez nombreux clients qui achetaient des brochettes et chantaient les louanges des pommes de terre et du charmant jeune homme qui les préparait avec une telle dextérité.

— Le voilà! s'écrièrent-ils quand Derek fit son entrée.

Il fut applaudi et s'inclina avec grâce avant de se diriger vers le fond de la boutique.

Qwilleran le suivit :

— Comment a été le coup d'envoi ?

— Formid ! Il n'y a rien de tel qu'un mystère ou un scandale pour attirer les clients. Nous avons eu plus de commandes de pommes de terre que nous n'avions de brochettes, alors nous avons triché et nous avons enfilé des pommes de terre déjà cuites sur les brochettes pour gagner du temps. Personne n'a vu la différence.

— Ernie a-t-elle été satisfaite de cette affluence ?

— Bien sûr ! Elle a aussi ouvert de grands yeux en recevant des fleurs d'un ami. Je savais que cette gerbe venait de vous, mais je ne le lui ai pas dit. Je l'ai exposée à l'entrée, sur la table du maître d'hôtel. Elle fait un effet bœuf !

Derek jeta un coup d'œil dans la boutique et dit :

— Voici Barb-les-Mauvaises-Nouvelles. Il y a quelque chose qui ne va pas chez elle. A mon avis, elle a encore été plaquée. Ne vous montrez pas trop sympathique, Qwill : elle recherche des hommes d'un certain âge !

— Comment le savez-vous ?

— Nous étions au lycée ensemble et elle en pinçait pour le professeur de sciences, qui avait le double de son âge, et pour le directeur, qui aurait pu être son grand-père !

La jeune femme s'approcha des deux hommes avec un carton de chaussettes.

— Elles ont besoin d'étiquettes avec le prix, dit-elle.

Derek porta le carton dans la réserve et Qwilleran demanda :

— Tricotez-vous des vestes pour homme ? J'aimerais assez en avoir une vert olive avec un point spécial.

— Nous avons des tas de modèles différents. Je pourrais vous montrer des spécimens. On peut aussi vous teindre la laine sur échantillon.

Avant qu'il ait pu répondre, il y eut un moment de silence dans le magasin tandis que le bâtiment vibrait. Puis on entendit un assourdissant « boom », suivi par un terrible fracas et des cris.

— Un tremblement de terre ! cria Derek en surgissant de la réserve. Sortez ! Sortez tous dehors !

Il traversa la boutique en agitant les bras et en entraînant les clients vers la sortie. Il y eut des cris d'incrédulité, de stupéfaction et de peur.

— Gardez votre calme! cria Elizabeth en fermant le tiroir-caisse.

Oak Street était en ébullition. Des clients effrayés et des employés sortaient des diverses boutiques et des bureaux et se serraient au milieu de la rue, ignorant ce qui était arrivé et où courir. Dans la Grande-Rue, un peu plus loin, des sirènes hurlaient et des véhicules de pompiers avec des girophares bleus se pressaient vers l'est. Une voix autoritaire amplifiée par un haut-parleur s'éleva :

— Évacuez tous les bâtiments! Ordre de la police! Évacuez tous les bâtiments!

Les klaxons des ambulances et des pompiers ajoutaient à la confusion générale dans Oak Street.

Puis il y eut des cris : « Regardez! Regardez! » dans la foule, des doigts pointaient vers l'est où un nuage de poussière ou de fumée s'élevait dans l'air.

Qwilleran se précipita vers la Grande-Rue dans le double but d'identifier la nature du désastre et de téléphoner au journal. Il trouva des véhicules officiels qui tournaient dans Sandpit Road, tandis qu'une foule de personnes s'enfuyaient du *Motel de la Grande Dune* et des établissements alentour. Des bandes jaunes délimitant les zones dangereuses étaient déroulées dans toutes les directions. Il montra sa carte de presse à l'assistante du shérif gardant l'entrée.

— Navrée, Mr. Q., dit-elle. Nous avons des ordres de sécurité très stricts.

— Est-ce un tremblement de terre?

— Un effondrement de terrain... écartez-vous, s'il vous plaît.

Une voiture du shérif avec une cage à chien sur le siège arrière approcha.

Parmi les nombreuses personnes s'agitant dans la Grande-Rue se trouvait l'antiquaire et Qwilleran l'appela :

— Arnold ! Où est-ce ? Où s'est produit cet effondrement de terrain ?

— Derrière le restaurant ! Il y a un grand trou. Plusieurs voitures ont été englouties.

Au même moment, la terre gronda sourdement comme le tonnerre, et l'extrémité est de la Grande Dune se désagrégea et engloutit l'arrière d'*Owen's Place*.

Qwilleran courut à sa camionnette et appela le journal. « Dieu merci, pensa-t-il, le restaurant était fermé ! » Puis une question le frappa : *Où était Ernie ?*

Au milieu de la foule il repéra Derek, dominant tout le monde de la tête et des épaules. Il cria :

— Derek ! Était-elle dans le camping-car ?

— J'en suis certain ! Je l'ai dit à la police. Ils ont amené un chien entraîné à faire des recherches.

Il fendit la foule pour s'approcher de Qwilleran.

— Quelqu'un travaillait-il à la cuisine quand vous êtes parti ?

— L'aide-cuisinier et le plongeur. Mais je suis certain qu'ils sont sortis quand l'effondrement de terrain s'est produit ou que les bâtiments ont commencé à bouger... Cependant, Ernie était allée dans le camping-car pour préparer le menu du dîner.

Le visage de Derek était pâle et ses traits tirés.

— Le chien la retrouvera, morte ou vivante. Je voudrais être optimiste, mais j'ai un mauvais pressentiment.

Qwilleran frotta sa moustache d'une main impatiente.

— Allons à l'hôtel prendre une tasse de café.

Ils s'installèrent dans une alcôve sombre au lieu de

prendre place près d'une fenêtre ensoleillée donnant sur le port. Cela semblait plus approprié. Ils restèrent assis dans un lourd silence pendant que Qwilleran pensait aux runes de Mildred et à sa prédiction d'un désastre. Puis il songea à ce que Derek venait de perdre. Le jeune homme avait une grande admiration pour Ernie et ils s'entendaient bien. Il allait aussi perdre une bonne situation qui aurait pu lui ouvrir les portes d'une carrière prometteuse.

Finalement, Derek murmura :

— J'aurais dû prendre une photographie d'Ernie avec sa toque de chef et sa tunique boutonnée sur le côté. Elle était si soignée !... C'était une véritable professionnelle... J'étais le seul en ville qui la connaissait vraiment. Je pense que c'était une chic fille. Tout le personnel avait de l'estime pour elle.

— Parlait-elle de sa formation ?

— Oui. Je lui ai demandé où elle avait fait ses études. Ellc avait passé deux ans dans une bonne école hôtelière. Quel curriculum ! En plus de la base classique, elle avait étudié la pâtisserie, la cuisine internationale et la diététique. Dans cette école, on apprenait également à découper les viandes, à préparer les menus, à choisir les vins, à s'occuper des achats et je ne sais quoi d'autre. Elle aimait faire partager ses connaissances. Savez-vous quelles sont les deux choses les plus importantes du métier ? Apprendre à goûter et à être un bon saucier. C'est ce qu'elle prétendait, en tout cas.

— Étiez-vous tenté de vous mettre à la cuisine ?

— Non. J'aime être en contact avec la clientèle et diriger le service... Qwill, je n'arrive pas à croire qu'elle a pu disparaître !

— Ne perdons pas espoir. Des miracles se produisent.

La radio locale qui diffusait de la country music et

des annonces publicitaires s'interrompit pour laisser place à un bulletin d'information :

— Montez le son ! cria Qwilleran au caissier.

« Ce que l'on croyait être un tremblement de terre cet après-midi à Mooseville était en réalité un effondrement de terrain. Cet accident imprévisible a brusquement ouvert une grande brèche derrière un restaurant de Sandpit Road, détruisant deux véhicules garés là et provoquant un glissement de sable à l'extrémité de la Grande Dune. Au moment où l'accident s'est produit, le restaurant était fermé à la clientèle mais on ne sait pas encore si le personnel de cuisine a eu le temps de s'échapper. Les équipes de secours et la police sont sur place. »

Résumant ce qu'il avait appris sur les Bowen, Qwilleran fut amené à demander :

— Pensez-vous qu'elle était réellement affligée d'avoir perdu son mari ?

— Eh bien... elle a au moins fait semblant, mais... en réalité, je ne sais pas.

— Les gens réagissent de façon différente selon leur tempérament. Certains sont affectés en privé, mais se montrent courageux en public.

— Ouais, pour vous dire la vérité, je n'ai jamais senti de liens très sérieux entre ces deux-là, dit Derek en se levant. Il faut que j'aille retrouver Liz.

Il sortit du café sans manifester la bouillante énergie qui était son style ordinaire.

CHAPITRE XVIII

Quand Derek fut sorti du café, Qwilleran se souvint soudain de son dîner avec Polly... à *Owen's Place* ! Il régla les consommations et alla lui téléphoner d'une cabine publique dans le hall.

— Polly, avez-vous entendu les informations sur WPKX ? demanda-t-il.

— Je n'ai pas écouté la radio. Pourquoi ? Ce ne sont pas de mauvaises nouvelles, j'espère ?

— Très mauvaises. Il y a eu un effondrement de terrain derrière le restaurant où nous devions dîner. Cela a provoqué une catastrophique coulée de sable... à l'extrémité est de la Grande Dune.

— Qwill, je ne peux le croire ! dit-elle avec horreur. N'exagérez-vous pas ?

— Nullement. J'étais sur place quand c'est arrivé. Je me trouvais dans Oak Street à un pâté de maisons de là.

— J'espère que l'on ne déplore pas de pertes en vies humaines.

— Rien n'a encore été annoncé officiellement, mais j'ai des raisons de craindre qu'il ne soit arrivé malheur au chef — une femme jeune, talentueuse, passionnée par son métier.

— C'est terrible !

— De façon plus pratique, la question est : où

allons-nous dîner ce soir ? Je n'ai pas encore eu le temps de revenir à Pickax, mais je pourrais rentrer assez tôt pour venir vous chercher et nous pourrions aller au *Vieux Moulin* ou *Chez Pompette* ?

— Je ne sais pas, Qwill... Ces nouvelles sont si affligeantes. Cela signifie-t-il que la Grande Dune est également détruite ?

— Des tonnes de sable ont glissé, avec les arbres et les plantes !

Il y eut une pause au bout de la ligne au Village Indien.

— Peut-être vaudrait-il mieux remettre notre sortie à demain. Je recommence à travailler et vous pourriez venir me chercher à la bibliothèque.

— De toute façon, je rentrerai à Pickax dès demain matin et je vous téléphonerai à la bibliothèque à mon retour.

Cette question étant réglée, Qwilleran retourna dans la Grand-Rue... pour écouter. Les touristes n'étaient intéressés que par l'interruption de leurs vacances, mais les autochtones avaient des explications à échanger. Ils critiquaient l'extraction de sable pendant la Grande Dépression... les autorités locales qui avec constance n'avaient pas pris la mesure des dangers potentiels... les contribuables à courte vue qui avaient voté contre toute étude de sécurité... mais surtout ils imputaient cet accident aux Visiteurs interplanétaires qui avaient brouillé le temps et causé des pluies anormales. Enfin, ils s'en prenaient aux promoteurs avides qui avaient provoqué la colère du Géant de sable.

Afin d'écouter le bulletin sur WPKX, il retourna à sa camionnette et entendit :

« Une victime a été signalée dans le désastre de Mooseville. Il s'agit d'Ernestine Bowen, qui a trouvé la mort dans son camping-car quand celui-ci a été englouti dans l'effondrement de terrain et enterré sous des tonnes de sable. Ernestine Bowen était chef cuisinier du restaurant *Owen's Place*. Rappelons que son mari a disparu la semaine dernière au cours d'un accident sur le lac. Le couple était venu de Floride pour ouvrir le restaurant cet été. »

Derrière le véhicule de Qwilleran se trouvait la fourgonnette de John Bushland. De toute évidence, le photographe prenait des clichés sur place, pendant que l'hélicoptère opérait du haut des airs. Qwilleran laissa un mot au dos d'une carte qu'il glissa sous l'essuie-glace contre le pare-brise. Puis il aperçut Phil Scotten dans la foule et le héla :

— Les bateaux vont-ils sortir aujourd'hui ?

— Ils sont partis, mais en retard, dit le pêcheur. Je ne travaille pas sur les bateaux tous les jours. Je m'occupe également de la comptabilité des pêcheries. J'ai appris la nouvelle à la radio et je suis venu pour voir par moi-même. Je n'aurais jamais imaginé qu'un drame pareil puisse se produire. Pas de mon vivant, en tout cas.

Qwilleran hocha la tête.

— Le shérif est venu avec un chien de la brigade et on a découvert une victime dans les décombres.

— C'est Dutch, un berger allemand dressé pour les recherches et le sauvetage des victimes. Il est très intelligent, avec un sens de la vue et de l'odorat exceptionnellement développé. Et il n'abandonne jamais ! C'est ce qui fait le prix d'un chien de sauvetage. Einstein a été dressé pour rechercher de la drogue. Au cours de ses cinq années de carrière il a reniflé pour des millions de dollars de produits de contrebande. Mais ce dont nous avons surtout besoin ici c'est un chien qui cherche et trouve des individus en danger. Dutch a trouvé un chasseur de cerf qui s'était aventuré seul dans les bois, il était tombé et s'était cassé une jambe... un autre jour il a retrouvé une vieille dame qui était sortie de Safe Harbor et s'était égarée dans une tempête de neige.

— Si j'avais un chien, ce serait un berger allemand, affirma Qwilleran.

— Vous ne pourriez mieux choisir. Vous rappelez-vous la bagarre sanglante qui a eu lieu lors du match de football entre Sawdust City et Lockmaster ? Depuis, Dutch et son maître assistent à tous les matches... et il n'y a jamais plus d'ennui ! La seule présence du chien calme les ardeurs belliqueuses. Mon vieux compagnon de chambre du temps de la fac au Pays d'En-Bas est maître-chien dans les forces de police, je peux lui demander si un berger allemand n'est pas sur le point de prendre sa retraite, si cela vous intéresse.

— Heu... pourquoi pas ?

— Faites-vous le compte rendu de cette catastrophe pour le journal ?

— Non, j'étais là quand c'est arrivé. J'attendais que les routes soient de nouveau ouvertes à la circulation.

Lorsque Qwilleran arriva au chalet, les siamois l'accueillirent avec une expression inquiète. Ils savaient qu'il s'était passé quelque chose de grave.

— Triste spectacle là-bas, leur expliqua-t-il. Nous ne pouvons rien faire pour les aider, aussi allons-nous rentrer à la maison dès demain matin.

Il leur donna à manger et les brossa soigneusement afin de calmer leur appréhension.

Ils se chauffaient au soleil de fin d'après-midi sous le porche quand une fourgonnette s'arrêta dans la clairière.

Bushy sauta à terre en agitant la carte que Qwilleran avait écrite : « Bon pour un GT au ranch K. Signé : Q. »

— J'ai bien besoin d'en prendre un, dit Bushy. Je me suis livré à une débauche de photographies au cours de l'heure passée. L'histoire va faire la Une du journal demain et presque toute la page sera en images.

— Eh bien, j'ai le gin tonic. Avez-vous l'objectif ?

— J'ai l'objectif. Avez-vous les chats ?

— Ils sont sous le porche au soleil, récemment nourris et brossés de frais, aussi devraient-ils être réceptifs. Nous allons y porter nos verres et parlerons de tout sauf de chats et d'appareils photographiques. Ne pensez même pas à prendre des photos, ils lisent dans les pensées.

Les deux hommes s'installèrent dans les fauteuils sous le porche, face au lac. A leur gauche, visibles du coin de l'œil, se trouvaient les siamois. Koko prenait des poses aristocratiques sur son piédestal ; Yom Yom était étendue de tout son long sur le chaud plateau en verre de la table.

— Où étiez-vous quand c'est arrivé ? demanda Bushy.

— Chez *Elizabeth's Magic*. Tout le monde a cru qu'il s'agissait d'un tremblement de terre et nous nous sommes tous précipités dans la rue. Nous avons vu la dune s'effondrer.

— Cela a provoqué une excavation à l'arrière du restaurant et le chef a été tué, dit Bushy, et assez curieusement, son mari a disparu de son bateau il y a une semaine. J'ai une théorie à ce sujet.

— Moi aussi, dit Qwilleran. C'était son bateau qui était « en conférence » avec le *Fast Mama*, le jour où nous sommes allés faire cette promenade sur le lac. Je suis persuadé qu'il doit y avoir un rapport.

— Je prétends que c'est un enlèvement. Savez-vous, Qwill, qu'il existe un règlement dans les registres de Mooseville, un règlement qui remonte à plus d'un siècle, concernant les OVNI ? Il n'a jamais été appliqué mais n'a pas davantage été abrogé.

— Quelle en est la nature ?

— Quiconque ayant eu un contact avec un « bateau volant » doit rapporter l'incident à la police de la ville dans les vingt-quatre heures. Aurait-on promulgué une telle loi s'il n'y avait pas eu de « bateaux volants » dans le ciel ?

— Eh bien...

« Comment puis-je lui dire que ses ancêtres n'avaient pas toute leur tête ? » pensa Qwilleran. Il se contenta de demander :

— Comment avez-vous découvert cela ?

— Mon grand-père me l'a dit quand j'étais gosse. Il avait vu plusieurs bateaux volants lui-même en sortant avec sa flotte de pêche. Récemment, j'ai eu... l'idée de...

Sa voix mourut. Il se redressa lentement, souleva son appareil photo et il prit un cliché face au lac.

Qwilleran tourna la tête avec précaution. Yom Yom s'étirait sur la table en tenant Gertrude entre ses pattes. La poupée avait une expression enivrée sur son visage en calicot. Sans le savoir, Yom Yom faisait face à l'appareil avec un regard de maternité comblée.

— Ça y est, déclara Bushy avec satisfaction. Si je ne gagne pas un prix, je renoncerai à la photographie.

— Et Koko ? demanda Qwilleran.

— Oubliez ce tyran. Il a raté sa chance. Il ne sera jamais célèbre.

Ayant entendu le déclic, Koko avait abandonné son piédestal et comme le dit le poète avec délicatesse : « Il léchait ses parties intimes. »

— Je vais t'échanger contre un berger allemand, lui dit Qwilleran.

Mercredi était le jour du départ, et plus vite ils quitteraient le chalet, plus Qwilleran serait satisfait. Les bagages devaient être faits en cachette. Bien que Koko fût habituellement toujours disposé à sauter dans le panier, à sa seule vue Yom Yom se cachait dans des endroits connus d'elle seule. Un jour, elle avait été retrouvée sur l'étagère supérieure du placard derrière une réserve de serviettes en papier. Une autre fois, elle s'était cachée sous une couverture rouge dans la chambre, aplatie comme une omelette, et une autre fois encore, elle avait été retrouvée au milieu des fils derrière l'amplificateur de la stéréo. La stratégie de Qwilleran était d'enfermer les deux chats sous le porche jusqu'à ce que la camionnette soit chargée, puis de saisir Yom Yom et de la fourrer dans le panier avant qu'elle n'ait eu le temps de réagir.

En cette occasion, elle fut capturée et enfermée sans encombre, mais, au lieu de se précipiter pour se joindre à l'expédition, Koko avait soudain disparu à la façon du légendaire *Jenny Lee*. Avec impatience, Qwilleran fouilla toutes les cachettes possibles tandis que Yom Yom miaulait à cœur perdu dans le panier pour ajouter à sa frustration.

Il cria « Festin ! », mot magique garanti pour faire apparaître Koko. Au lieu de cela, il n'y eut qu'un faible murmure venant du haut du chalet. A six mètres du sol, au sommet du toit, le chat s'était allongé sur une poutre étroite entre le faîte et les chevrons.

Après avoir répété le mot magique et entendu un autre murmure nonchalant, Qwilleran s'assit pour réfléchir. Il n'y avait pas d'échelle dans la cabane à outils suffisamment haute pour atteindre le sommet du toit. Il répugnait à faire appel à la brigade des pompiers pour une telle mission. A ce moment-là, le téléphone sonna. Il répondit par un bref : « Oui ? »

C'était Polly, qui semblait affolée.

— Qwill, je suis de retour au travail et convoque une réunion d'urgence du conseil d'administration de la bibliothèque pour ce soir même. Nous avons un tas de problèmes à résoudre.

D'un ton grognon il répondit :
— Mac et Katie se sont-ils battus ?
C'étaient les nouveaux chats de la bibliothèque. Ignorant le sarcasme, elle poursuivit :
— Mon assistante a donné sa démission. Le nouveau toit prend l'eau. Et quelqu'un a arraché une page du Webster non abrégé ! Nous allons être obligés de remettre encore notre dîner.
— Le message est enregistré.
— Allez-vous retourner à la grange aujourd'hui ?
— C'était mon intention, mais nous avons une crise ici aussi. Je vous rappellerai.
En replaçant le récepteur, il entendit un *plouf, plouf*, PLOUF, tandis que Koko descendait de son perchoir en trois bonds. Arrivé à terre, il se lécha la patte droite longuement et avec soin.
— Très bien, jeune homme, tu as fait ton numéro. Maintenant pouvons-nous partir ?
Au moment où Qwilleran se penchait sur le panier, le téléphone sonna encore et Koko repartit comme une flèche en haut du toit.
Cette fois, c'était Junior Goodwinter parlant d'une voix étouffée comme s'il s'agissait d'un secret d'État.
— Qwill, comment vous tirez-vous de l'affaire que vous savez ?
— Lentement et difficilement.
— Pouvez-vous m'envoyer un papier aujourd'hui ? Je viens d'avoir un trou en page cinq. Un annonceur a supprimé une publicité.
— Mon identité sera-t-elle préservée si je vous adresse un fax ? Qui est à la réception ?
— Wilfred. Utilisez un pseudonyme et une adresse à Fishport. Merci beaucoup, Qwill.
Qwilleran se hâta d'aller chercher sa machine à écrire dans la camionnette. Puis il délivra Yom Yom et oublia Koko pour écrire trois pages de texte.

Chers aimables lecteurs,

Vos charmantes lettres sincères et intelligentes réchauffent le cœur de Ms. Gramma. Navrée d'apprendre que vous avez des difficultés avec le genre de certains noms. La meilleure façon de régler le problème, c'est d'éliminer les traîtres, purement et simplement.

1) Ne soulevez pas de *lourds haltères*, entraînez-vous plutôt avec des poids ou pratiquez le tir à l'arc. Mieux, évitez les salles de gymnastique, préférez-leur un bon roman au coin du feu.

2) Chez le fleuriste, ne touchez pas aux *doux pétales* de l'*azalée flamboyante* : vous vous y y brûleriez les doigts. Offrez donc des bonbons (attention au piège de *la réglisse*).

3) Fuyez albâtre (*m.*), jade (*m.*), nacre (*f.*), ébène (*f.*), qui vous poignarderont dans le dos à la première occasion. Vous répondrez aux question de vos invités sans vous couvrir de ridicule si vous choisissez la prudence : marbre, ivoire, bois de rose, acajou.

Ainsi de suite. Ms. Gramma s'attaquait à des couples querelleurs comme *soi-disant* et *prétendu, notoire* et *notable, excessivement* et *extrêmement, infecté* et *infesté*, etc. Suffisamment en tout cas pour couvrir le trou et la copie fut expédiée à temps par fax.

Après ce pensum, Qwilleran se régala d'un pâté pour son déjeuner et passa en revue ses deux semaines de « vacances ». Il avait eu l'intention de rester un mois à Mooseville, mais de plus longues « vacances » le mettraient par terre pour le compte, décida-t-il. Il n'avait pas trouvé un moment pour se promener sur la plage, pour faire du vélo couché ou distraire les chats avec *La Célèbre Grenouille sauteuse de Calaveras*. Des incidents s'étaient produits les uns après les autres et un frémissement sur sa lèvre supérieure l'avait convaincu que d'autres ne tarderaient pas à se produire. Koko avait peut-être senti un prochain développement et s'efforçait de l'empêcher de partir.

Avant de retourner au chalet, il se rendit chez *Elizabeth's Magic* pour vérifier l'étendue des désastres. Elizabeth était seule.

— Mes clients sont tous curieux de l'effondrement de terrain. Les gens aiment être horrifiés quand ce sont les autres qui sont les victimes.

— Où est Derek ?

— Il était affligé par la disparition d'Ernie et la perte de son emploi, alors je lui ai dit d'aller faire une longue promenade. Cela aide toujours. Et vous, Qwill ?

— Je m'intéresse toujours à une veste vert olive, mais j'aimerais voir des échantillons de teinture.

— Barb était là il y a quelques minutes, mais elle est partie en voyant que Derek n'était pas là. C'est une de ses groupies, vous savez, et je soupçonne Ernie d'avoir évolué dans cette direction.

Elizabeth fronça les sourcils avant de poursuivre :

— Après la mort de son mari, elle voulait tenir une conférence à l'hôtel tous les jours avec Derek.

— Votre ami possède une personnalité magnétique. Des fans enthousiastes l'attendront toujours à la sortie des artistes. Mieux vaut vous y habituer, conseilla-t-il.

Cyniquement il pensa : « Elizabeth n'a rien à craindre, Derek saura toujours de quel côté est son intérêt. »

— Polly aime-t-elle sa veste ? demanda la jeune femme.

— Elle ne l'a pas encore vue. Nous étions supposés dîner ensemble hier soir à *Owen's Place.*

— Quand ma bibliothèque sera prête, croyez-vous

qu'elle accepterait de couper le ruban pour l'inauguration ? La directrice de la bibliothèque municipale de Pickax me paraît plus appropriée qu'un politicien qui flatte les électeurs.

— Et elle sera plus agréable à regarder aussi. Avez-vous l'intention d'avoir un chat de bibliothèque ?

— Je n'y avais pas pensé, mais c'est une idée merveilleuse !

— Ils ont toutes sortes de races à la SPA, choisissez-en un qui ait l'air littéraire et organisez un concours pour lui trouver un nom.

Qwilleran retourna dans la Grande-Rue où sa camionnette était garée. Chemin faisant, il entendit des pas précipités derrière lui et une voix rauque appela :

— Mr. Q. ! Mr. Q. !

C'était Barb Ogilvie, considérablement plus dynamique que récemment.

— Elizabeth et moi parlions justement de vous et de ma veste vert olive, dit-il.

— Je vais teindre des échantillons de laine dès que je serai remise, dit-elle. J'ai traversé de mauvais moments dernièrement.

— Je suis navré de l'apprendre.

Détournant les yeux (elle regardait rarement les gens en face), elle déclara :

— Je ne voudrais pas vous importuner, Mr. Q., mais je souhaiterais vous parler un peu de quelque chose de sérieux.

Il tira sur sa moustache. Les jeunes femmes aimaient toujours se confier à lui et il était las de ce rôle d'oncle bienveillant.

— Si vous cherchez un conseil gratuit, ne comptez pas sur moi, dit-il avant d'ajouter plus légèrement : A moins de signer une promesse écrite de ne pas me poursuivre en justice.

Barb eut un geste d'impuissance.

— Je veux seulement soulager ma conscience... et vous êtes la seule personne assez cool pour me comprendre.

Le compliment s'ajoutant à son insatiable curiosité le conduisit à proposer d'en discuter en prenant une tasse de café.

Elle hésita.

— Je n'ose pas... en parler... dans un lieu public.

Il pensa : « Si elle attend une invitation à venir au chalet, elle fait chou blanc. » Puis il eut une inspiration :

— Je n'ai jamais vu les pétroglyphes du ranch Ogilvie... Ce ne serait pas pour en faire l'objet d'une chronique, mais juste pour ma propre édification.

Elle hésita encore.

— Alors il faudrait que ce soit à un moment où Alice n'est pas à la maison... comme cet après-midi ?

— A quatre heures ? suggéra-t-il.

— Mettez des bottes, il pourrait y avoir de la boue.

CHAPITRE XIX

Lorsque Qwilleran entra en voiture dans la cour de la ferme Ogilvie à quatre heures, Barb l'accueillit et lui indiqua où se garer.

— Mon père est heureux de savoir que vous voulez voir le « jardin glyphe », dit-elle. Il lit votre chronique et il vous a rencontré une fois à la Nuit Écossaise à Pickax. Il a dit que vous portiez un kilt et que vous aviez fait un grand discours.

— Pourquoi ne vouliez-vous pas que votre mère soit là, si je puis me permettre ?

— Oh !... Elle aurait voulu venir avec nous. Il faut toujours qu'elle fourre son nez partout.

L'allée se transformait en piste caillouteuse puis en simple sentier.

— Belle journée pour une promenade à pied, dit-il. Puis-je porter votre sac fourre-tout ?

Il contenait deux coussins en tissu de couleur pris sur les sièges du porche.

— Nous en aurons besoin pour nous asseoir sur les pierres, dit-elle. Elles sont humides. J'y vais souvent pour tricoter. N'est-ce pas un peu fou ?

— Pas du tout. J'imagine que c'est reposant.

— Pas vraiment. J'emporte mon transistor.

— Dans ce cas, si j'ai le choix, j'aimerais que ma

veste soit tricotée sous l'influence de Dizzy Gillespie et de Charlie Parker.

Ils traversèrent des pâturages, franchirent de nombreuses barrières et croisèrent des troupeaux de moutons.

— Que font les pétroglyphes sur vos terres? demanda-t-il.

Il connaissait la réponse, mais elle se plut à expliquer comment le lac les avait déposés là quelques milliers d'années plus tôt.

— Le bord du lac, qui se trouve à environ trois kilomètres, était exactement ici, aussi les « glyphes » étaient sur la plage. Je ne sais pas qui les a déposés là. Probablement le Géant de sable.

Le sentier se terminait devant une haute barrière enfermant un entassement de grandes dalles plates... et une colonie de corbeaux.

— On dirait la République de Crowmania en session parlementaire, dit Qwilleran.

— Ils me connaissent. Je leur apporte généralement une poignée de blé. Aujourd'hui, j'ai oublié... Désirez-vous vous promener autour des pierres un moment? Il n'y a pas grand-chose à voir, seulement des empreintes de poulets qui sont censées être un langage secret.

— Je suggère plutôt que nous en venions au fait.

Ils choisirent deux dalles assez horizontales et s'installèrent sur les coussins rayés rouge et blanc.

— La fumée vous dérange-t-elle? demanda-t-elle en sortant un paquet de cigarettes de son sac.

— Oui, elle me dérange, mais pour votre santé et pas nécessairement pour la mienne.

Avec un regard ironique elle répondit :

— Je crois entendre mes parents.

— Eh bien, cela prouve qu'il y a encore des gens sensés... Et maintenant, qu'aviez-vous à me dire? demanda-t-il d'un ton légèrement excédé.

A contrecœur, elle remit le paquet de cigarettes dans le sac.

— Je ne sais par où commencer.

— Comme le Roi de Cœur l'a dit au Lapin Blanc[1], commencez par le commencement et continuez jusqu'à la fin, puis arrêtez-vous.

— Eh bien... je vous ai parlé de la Floride... et du chasseur de ballons, n'est-ce pas ? Après avoir rompu avec lui, j'ai commencé à sortir avec mon patron. Il était beaucoup plus âgé que moi, mais nous nous sommes bien amusés ensemble. Il m'a emmenée sur son bateau et je pense qu'il m'aimait bien. Mon travail me plaisait aussi.

— Où travailliez-vous ?

— Dans son restaurant. Le seul ennui était que... les autres serveuses étaient jalouses. Le patron me donnait toujours les meilleures tables et j'étais au mieux avec le chef. Cela signifiait que mes commandes étaient enregistrées les premières et mes clients me laissaient des pourboires généreux. Savez-vous qu'un jour un gars m'a laissé un gros pourboire et quand il s'est levé pour aller aux toilettes son invitée a empoché le pourboire !

Qwilleran tira sur sa moustache.

— Rien ne me surprend en ce bas monde. Venons-en à votre histoire.

— Bon, un jour, une autre serveuse m'a pincée dans un coin et m'a dit : « Nous savons ce qui se passe ici, chérie, et tu ferais mieux de laisser tomber et *tout de suite*, ou bien nous allons tout raconter à sa femme et elle te courra après avec son grand couteau à découper ! » Sa femme ! C'était le chef cuisinier ! Je croyais qu'il était célibataire. Je les croyais frère et sœur ! Comment ai-je pu être aussi aveugle ?

. Personnages d'*Alice au pays des merveilles. (N.d.T.)*

— Ce sont des choses qui arrivent, dit-il.

— Aussitôt, j'ai décidé que la Floride était terminée pour moi et je suis revenue à la maison pour reprendre ma vie de campagnarde.

— Il y a combien de temps de cela ?

— Il y a eu un an l'hiver dernier. Je me suis mise à tricoter sérieusement et tout allait bien jusqu'à cet été, quand ils sont soudain arrivés à Mooseville... Les Bowen !

— Savaient-ils que vous viviez là ?

— Je suppose que j'ai beaucoup parlé de la ville quand j'étais au Pays d'En-Bas. Je disais toujours aux gens quel climat agréable nous avions l'été dans le comté de Moose. En bas, les étés sont souvent insupportables.

— Owen a-t-il cherché à prendre contact avec vous ?

— Non. Et je me suis tenue à l'écart de Sandpit Road. Puis, après sa mort, Ernie m'a téléphoné au ranch. Elle voulait que je vienne dîner avec elle à l'hôtel. Elle prétendait que j'étais la seule personne qu'elle connaissait à des milliers de kilomètres. Alors je suis allée la voir dans sa suite. Elle avait commandé un dîner pour deux et du champagne dans un seau à glace. C'était super ! Elle s'est jetée à mon cou et a pleuré un peu. J'étais assez émue moi-même. D'abord, nous avons seulement parlé de la Floride. Quand ils ont décidé de venir ici, elle a conduit la décapotable et Owen le camping-car qui tractait le *Suncatcher*. Elle n'aimait pas naviguer, mais il a dit qu'ils feraient une croisière sur le lac le jour de fermeture, sinon les gens jaseraient... Ah ! Seigneur ! j'ai besoin d'une cigarette.

Il y avait eu un temps dans la vie de Qwilleran où il avait eu besoin d'une cigarette... ou d'un verre. Aussi il déclara :

— Allez-y, je vais faire un tour et regarder les empreintes de poulets.

Quand Barb fut rassérénée et eut soigneusement effacé toute trace de son méfait, elle vint le rejoindre.

— Alice vient ici pour me surveiller, expliqua-t-elle.

— Fumez-vous en tricotant ?

— Non, jamais.

— Cela devrait vous apprendre quelque chose, dit-il. Tricotez davantage et fumez moins. Vous vivrez plus longtemps.

— Oui, docteur, lança-t-elle avec impudence.

— Et maintenant poursuivez votre histoire.

— Eh bien, lors de leur première journée de congé après l'ouverture du restaurant, ils sortirent sur le lac et un canot automobile inconnu se mit à les suivre et finalement les obligea à s'arrêter.

Le *Fast Mama*, pensa Qwilleran.

— Owen dit aux occupants de s'écarter et ajouta que le *Suncatcher* n'était pas à vendre. Mais Ernie eut des soupçons. On ne peut vivre en Floride sans savoir ce qui se passe en matière de trafic de drogue et elle avait remarqué des valises fermées en bas dans la cabine. Elle se mit à poser des questions innocentes et feignit de ne pas être choquée par les réponses. En ajoutant deux plus deux, elle en vint à la conclusion qu'Owen était en cheville avec un réseau de drogue de Floride et avait l'intention d'implanter un marché dans un endroit mûr pour le grand saut. Il lui recommanda de fermer les yeux et de garder bouche cousue. Il ajouta que c'était là le meilleur investissement qu'ils auraient jamais fait. Si elle ne lui obéissait pas, lui dit-il, elle ne préparerait plus un autre repas. Il n'avait pas l'air de plaisanter.

— Qu'a-t-elle fait ?

— Que pouvait-elle faire ? dit Barb. Elle ne voulait pas être un chef de cuisine mort. Mais d'un autre côté, elle se disait que si elle gardait le silence, cela ferait d'elle une complice. Elle commença à avoir des cauchemars. Elle se voyait faisant cuire des bassines de flocons d'avoine dans les cuisines d'une prison. Elle en perdait la tête. Elle se mit à commettre des erreurs au restaurant.

— J'en ai entendu parler, dit Qwilleran. Derek s'en inquiétait. Il pensait qu'elle se faisait du souci parce que Owen buvait. Il y a eu deux théories à propos de sa mort. Beaucoup de gens pensent qu'il était ivre et qu'il est passé par-dessus bord.

— Je sais. Mais Ernie m'a avoué qu'elle avait fait un pacte avec le diable. Owen l'enverrait dans une école hôtelière et elle dirigerait son restaurant. Tout ce qu'elle avait jamais voulu dans la vie était de travailler la nourriture, superviser une cuisine, diriger une équipe et porter une toque de chef. Elle se souciait peu qu'il bût jusqu'à plus soif et courût les filles. Elle espérait qu'il mourrait d'une cirrhose et que le restaurant lui reviendrait. Soudain elle eut une idée pour se débarrasser de lui et de la pression qu'il exerçait sur elle pour se retrouver maîtresse de la situation — avec Derek comme associé.

Elle s'arrêta pour déclarer :

— J'ai besoin d'une autre cigarette... s'il vous plaît !

— Allez-y, dit Qwilleran en se levant pour aller faire un autre tour.

Il entama même une conversation avec les corbeaux dans leur propre langage comme le faisait Koko, mais ils l'ignorèrent complètement.

Après avoir procédé au rituel d'enterrer son mégot, Barb était à nouveau prête à continuer son récit.

— Il n'est pas facile d'en parler, dit-elle. Ernie aurait mieux fait de ne jamais rien me dire, mais j'ai besoin de soulager ma conscience.

— Je vous écoute, dit-il sur un ton exprimant plus de sympathie qu'auparavant.

— C'était lors de leur seconde sortie. Il y a peu de

bateaux de plaisance le lundi et Owen déclara qu'ils ne seraient pas dérangés par les clients de Bixby parce que le mot d'ordre était : Jamais le lundi. Il déclara qu'un type stupide avait mal interprété les signaux la semaine précédente... aussi ils jetèrent l'ancre à Pirate Shoals. Ernie déjeuna et Owen but. Elle bavarda et parla de nouveaux plats qu'elle comptait faire figurer au menu. Owen finit par s'écrouler endormi sur la banquette du pont arrière. Dès qu'il se mit à ronfler, elle sortit une brochette du panier à pique-nique et la lui enfonça dans l'oreille. Puis elle le fit passer par-dessus bord.

Il y eut un silence dans le jardin. Les corbeaux eux-mêmes étaient tranquilles. Au bout d'un moment Qwilleran demanda :

— N'y a-t-il pas eu beaucoup de sang ?

— Elle l'a épongé avec des serviettes qu'elle a fourrées dans le seau d'appâts... puis elle a tout jeté par-dessus bord avec les valises fermées à clef. Elle a mis le bateau en route et parcouru plus d'un kilomètre avant de lancer un signal de détresse.

— Une question, Barb. Pourquoi vous a-t-elle raconté tout cela ? Pourquoi n'a-t-elle pas gardé pour elle son vilain petit secret ?

— Je l'ignore. Nous avions bu deux bouteilles de champagne et elle s'était endormie sur le lit. Je n'étais pas en état de conduire et j'ai couché sur le divan de sa suite. Quand je me suis réveillée au petit matin, je suis repartie chez moi... Seigneur ! Dans quel guêpier m'avait-elle fourrée ! Je ne savais que faire. Je n'avais personne à qui demander conseil. Qu'est-ce qui est le pire : trahir quelqu'un qui vous fait confiance ou être complice d'un meurtre ? Je me suis conduite comme une véritable zombie pendant une semaine et puis...

— Et puis le Géant de sable est venu à votre

secours, dit Qwilleran, sauf que vous avez des informations sur un homicide qui permettraient à la police de clore l'affaire et qu'il est de votre devoir de les rapporter. Connaissez-vous quelqu'un au bureau du shérif ?

— L'assistante Greenleaf. Nous étions au lycée ensemble.

— Racontez-lui toute l'histoire et elle vous dictera votre ligne de conduite. Mentionnez Pirate Shoals comme la scène du prétendu crime. Le shérif et le SBI feront l'enquête qu'ils jugeront convenable.

— Il y a quelque chose qui me console un peu, dit encore Barb. Elle n'était pas quelqu'un de chez nous.

Une agitation parmi les corbeaux — bruyants mouvements d'ailes et cris divers — signala la fin de la conversation.

En arrivant au chalet, Qwilleran trouva les cinq brochettes suspendues à leurs clous. Ou bien Koko était fatigué de ce nouveau jeu, ou c'était une façon de dire que l'affaire était terminée. Le chat était maintenant allongé, avec une visible satisfaction, dans une tache de soleil venant de la lucarne. Qwilleran pensa au poème sur Jeoffrey : *Car il n'y a rien de plus doux que sa paix quand il se repose.*

CHAPITRE XX

Après avoir donné à manger aux siamois, Qwilleran ouvrit la porte donnant sur le lac et tous trois s'installèrent avec plaisir sous le porche pour savourer un soleil de fin de journée, une brise rafraîchissante et une vue idyllique.

— C'est votre dernière occasion, les gars, d'observer le ballet des oiseaux au crépuscule et le spectacle des étoiles, leur dit-il.

— Yao ! approuva Koko.

— Quant à toi, jeune homme, tu vas retourner à Pickax demain, même si je dois faire appel à la brigade des pompiers avec leur lance à incendie !

A ce moment-là, les oreilles du chat pivotèrent et il tourna la tête vers l'intérieur du chalet. Quelques secondes plus tard, le téléphone sonna.

C'était Lisa Compton.

— Êtes-vous occupé, Qwill ? Avez-vous des visiteurs ?

— J'ai deux compagnons à quatre pattes pour toute compagnie et nous sommes occupés à regarder les corbeaux. Qu'avez-vous à l'esprit ?

— Eh bien, Lyle a un nouveau jouet qu'il veut vous montrer. Il pense que vous en voudrez un semblable. Voyez-vous un inconvénient à ce que nous venions vous voir ?

— Je vous en prie, venez. Nous prendrons un dernier verre d'adieu. Je pars demain.

Cinq minutes avant l'arrivée des Compton, Koko savait qu'ils étaient en route. Quand ils furent en vue, Lyle portait sur l'épaule un long paquet tubulaire.

Qwilleran s'avança jusqu'à l'échelle de sable pour les accueillir.

— Ne me dites rien ! C'est un fusil, dit-il.

Après avoir invité ses amis à s'installer sous le porche, Qwilleran servit des boissons et Lyle déballa un télescope en cuivre d'environ un mètre de long et un trépied extensible en bois avec des garnitures en cuivre.

— Bel appareil, commenta leur hôte.

— Vous devriez en acheter un, Qwill. C'est formidable pour surveiller les OVNI. Ce qui ressemble à une masse verte confuse devient un engin volant.

— Vous vous adressez au mauvais client, Lyle. Je ne vois même pas de masses vertes confuses.

— Quoi qu'il en soit, laissez-moi vous montrer à quel point cet appareil est puissant.

Tous trois se dirigèrent vers la petite terrasse ouverte qui entourait le porche. Le trépied fut déplié à hauteur d'épaule et le télescope dirigé sur le lac.

— Comment cela peut-il être comparé avec le télescope de l'espace Hubbell ? demanda Qwilleran.

— Considérant la différence de prix, celui-ci offre d'assez bons services. Jetez un coup d'œil sur le bateau de plaisance que l'on aperçoit là-bas.

Qwilleran s'exécuta.

— Il y a deux couples qui prennent des cocktails sur le pont. Je pense que ce sont des martinis.

— Avec des olives farcies aux anchois ou des oignons au vinaigre ? demanda Lyle.

— Sérieusement, Lyle, je suis impressionné, bien que je n'aie pas attrapé le virus des OVNI moi-même, dit Qwilleran. Mais vous avez vraiment là de quoi vous amuser.

Ils retournèrent sous le porche et Lisa s'enquit des vacances de Polly. Elle et son mari voyageaient fréquemment au Canada.

— J'espère que Polly vous a rapporté quelque chose de joli. Ils ont là-bas de merveilleux cachemires... qui viennent d'Écosse.

— Une de ses cartes me dit qu'elle me rapporte un loonie et un toonie, quoi que cela puisse être.

— Ce sont des pièces de monnaie qui remplacent les billets, dit Lyle, et je suis tout à fait en faveur de cette idée. Le loonie a un *loon*[1] sur une face et vaut un dollar. Le toonie vaut deux dollars. Tous les deux sont de la taille de nos demi-dollars, mais ces Canadiens astucieux ont placé un centre en cuivre sur l'un et un bord à facettes sur l'autre.

— Nous avons plus de deux cents diapositives en couleurs de nos voyages au Canada et nous serions ravis de vous les montrer ainsi qu'à Polly au cours d'un week-end.

— C'est là quelque chose que j'attends avec impatience, murmura Qwilleran en cherchant déjà une excuse pour éviter cette invitation.

Les Compton étaient des gens charmants, mais...

Qwilleran fit la lecture aux siamois jusqu'à ce que la lumière commence à décliner. Il aimait le crépuscule, ce moment mélancolique entre la lumière et l'obscurité. Quel poète l'avait appelé l'*heure bleue*[2] ? Polly le saurait. Elle lui manquait pour des raisons qu'il n'avait jamais définies : son charmant sourire, sa voix douce, son rire gai et leurs intérêts partagés. Il y aurait une longue conversation au cours du dîner au *Vieux Moulin* sur son voyage au Canada et sur ses aventures à lui, au pays. Cependant, il n'évoquerait

1. En français, le huart rapace du Canada. *(N.d.T.)*
2. En français dans le texte. *(N.d.T.)*

pas le sujet de la confession d'Ernie à Barb, qui était réservée à Andrew Brodie ; il ne parlerait pas non plus de l'implication de Koko dans l'affaire. Seul le chef de la police était au courant des talents uniques de ce chat, et même lui se montrait souvent sceptique.

Bientôt Qwilleran inviterait Andy un soir à la grange pour un dernier verre afin de lui raconter comment Koko avait su intuitivement que le corps du randonneur était enterré sous la dune de sable... et que quelqu'un marchait sur la plage à quatre cents mètres de là... et comment, grâce à sa stratégie féline, il avait, à deux reprises, empêché Qwilleran de quitter Mooseville quand il était avantageux d'y rester.

Koko n'utilisait jamais ses dons de façon frivole. Il ne fournissait pas d'indication sur ce « quelque chose de joli » que Polly allait rapporter du Canada : un sweatshirt shakespearien, peut-être, ou un enregistrement intégral de *Hamlet* sur cassettes.

L'obscurité tombait toujours comme à regret sur le lac et le dôme infini du ciel, mais finalement la nuit fut totale. Qwilleran éteignit les lumières à l'intérieur et à l'extérieur, et tous trois s'installèrent pour écouter les grenouilles dans une mare lointaine, une colonie de criquets et le bruit des vagues venant mourir sur la plage. C'était une nuit claire et sans lune. Koko étudia les étoiles de son piédestal tandis que Yom Yom surveillait les buissons et que Qwilleran s'étirait sur sa chaise longue en laissant errer ses pensées. Tous les trois étaient tellement captivés par la magie de cette nuit qu'ils oublièrent le couvre-feu de onze heures et restèrent sous le porche jusqu'à minuit passé.

Ce fut alors qu'un incident étrange se produisit. Quelque chose que Qwilleran rapporta plus tard dans son journal. Sur le moment, il fut trop énervé pour le faire. Incapable de dormir, il fit les cent pas et, le matin, il était habillé et prêt à partir avant même de donner à manger aux chats. Avant qu'ils soient vraiment réveillés, il les fit entrer dans leur panier et les porta jusqu'à la camionnette. Les bagages, la cafetière électrique, la bicyclette et tout le reste étaient déjà chargés et ils partirent pour Pickax. Qwilleran se livrait à l'introspection et les chats respectèrent son humeur. Il n'y eut ni miaulement ni mouvement sur la banquette arrière.

Une fois arrivé à la grange, après avoir téléphoné à Polly pour confirmer leur dîner, il se sentit mieux. Il réserva leur table favorite et passa un moment à décider ce qu'il allait porter. Pendant trois semaines il avait vécu en short, chemise polo et sandales, et il n'était pas facile de changer d'équipage. Il n'y avait pas de code vestimentaire au *Vieux Moulin*, mais s'habiller bien était une manière pour les clients d'adresser un compliment au restaurant.

A six heures, heureux et détendus, lui et Polly firent leur entrée au *Vieux Moulin*. Chacun tenait un paquet-cadeau peu épais. Qwilleran pensa que celui de Polly était trop petit pour être un sweatshirt, trop grand pour un CD, trop plat pour une sculpture.

L'hôtesse d'accueil leur sourit :

— Vous nous avez manqué !

— J'ai passé les vacances au Canada, dit Polly.

— Je suis allé dans l'antre du canard sauvage et du héron, dit Qwilleran.

— C'est parfait, sourit l'hôtesse.

— Vous avez vu ? dit-il à Polly quand ils furent assis. Les gens n'écoutent pas. J'aurais pu lui déclarer que j'étais allé en prison.

D'abord, ils se portèrent mutuellement un toast affectueux, Polly avec un verre de sherry, Qwilleran avec une eau de Squunk. Puis il offrit son cadeau. A l'intérieur une carte précisait : « Modèle original de Barb Ogilvie, tricoté à la main au point de riz à partir des toisons naturelles de moutons locaux. La laine est lavée, cardée et filée à la main sur un rouet traditionnel. » Polly fut enchantée.

Quand Qwilleran ouvrit son souvenir du Canada, il le fit avec précaution comme s'il craignait que le paquet contînt une bombe.

— Ça ne mord pas, dit Polly. Je l'ai fait museler.

C'était quelque chose en tissu. C'était un tartan du clan Mackintosh. C'était une veste !

— Eh bien, nous pouvons dire que nous nous sommes mutuellement « in-vestis », dit-il.

L'humour de la situation les amusa et le dîner fut ponctué de rires joyeux.

D'abord, Qwilleran voulut avoir des précisions sur le professeur canadien-français.

— Il a été si gentil, si aimable, si serviable ! dit Polly. Je l'ai invité à venir visiter le comté de Moose.

— Parle-t-il anglais ? demanda Qwilleran sur un ton facétieux.

— Il parle quatre langues. Il travaille sur un livre traitant de l'influence canadienne sur les communautés du nord des États-Unis. Beaucoup de nos pionniers sont venus de l'Ontario, comme vous le savez.

— Ce n'est pas tout ce dont nous avons hérité venant du Canada, dit-il en se souvenant des jours de la prohibition.

Polly, quant à elle, voulut tout savoir sur cette pluie diluvienne du siècle qui avait provoqué le désastre de Sandpit Road.

— Connaissez-vous la légende du Géant de sable ? demanda-t-il.

— Oui, bien sûr ! J'ai pour théorie qu'elle est inspirée par un phénomène écossais. Le Gros Homme Gris qui a hanté une montagne d'Écosse pendant au moins deux siècles.

Qwilleran mentionna alors la bibliothèque des OVNI. Polly en avait entendu parler.

— Le sujet a été soulevé à la réunion du conseil d'administration hier soir. Il serait intéressant de savoir quels livres ils possèdent. Nous avons au moins cinquante ouvrages dans notre collection et certains sont consultés journellement.

— Hum... fit-il avec perplexité.

Vingt-quatre heures plus tôt, il aurait ironisé sur ce fait.

Dans l'ensemble, ce fut une soirée mémorable. Quand Polly fut rentrée au Village Indien et lui dans la grange, il était tard et Qwilleran se sentait suffisamment détendu pour écrire dans son journal :

Pickax, jeudi 16 juillet

Hier soir était notre dernière nuit au chalet. Nous étions installés sous le porche à minuit passé avec les lumières éteintes à l'intérieur comme à l'extérieur. Pour utiliser un cliché, il faisait aussi noir que dans un four. Les chats aiment cela. Ils sont fascinés par les signes invisibles et les sons inaudibles qu'eux seuls peuvent voir et entendre.

Quand je suis étendu sur une chaise longue, les pieds surélevés, et que je n'ai rien à faire que penser, le temps n'a plus aucune signification, aussi j'ignore jusqu'à quelle heure je suis resté assis là. Le ciel semblait devenir plus clair, pourtant ma montre m'apprit qu'il n'était que trois heures moins le quart. Les chats sentirent quelque chose d'anormal et s'agitèrent avec nervosité. Yom Yom fut la première à se réfugier à l'intérieur.

Était-ce mon imagination ou le ciel devenait-il vert ? Tout aussi inhabituel était le silence, semblable à la mort. Soudain un coup de vent fit voler des papiers et des objets sous le porche et Koko sauta sur mes genoux et y planta ses griffes comme pour s'accrocher. Cela ne dura que quelques secondes, cependant.

Au même moment, un grand disque rond flotta et descendit en lançant des éclats de lumière sur la plage. Je sentis les poils de Koko se hérisser. Sa queue se gonfla. Brusquement, il s'élança sur la porte du porche et donna des coups de patte au loquet branlant.

— Koko ! criai-je, bien que je ne pusse entendre ma voix.

Je bondis de mon siège, mais il était déjà dehors sur la terrasse. Je me précipitai derrière lui pour le saisir, mais il m'échappa et courut vers la plage en descendant la dune.

Je m'étais élancé derrière lui quand je vis de petites créatures sortir du disque et se dresser dans la lumière. Elles avaient quatre pattes et de longues queues ! Et Koko allait les rejoindre !

— Koko ! criai-je, sans qu'aucun son ne parût sortir de ma bouche.

Il marchait dans l'herbe haute de la dune. Avec désespoir je plongeai la tête la première dans un bond en avant qui me fit atterrir sur lui. Pendant une seconde je vis trente-six chandelles et perdis conscience.

Quand je repris mes esprits, j'étais écrasé par un poids lourd sur ma poitrine dans l'obscurité la plus totale. Où étais-je ? J'avais les yeux ouverts mais je ne voyais rien et j'entendais à côté de mon oreille un vrombissement qui m'alarma.

Puis quelque chose d'humide effleura mon nez. Le poids sur ma poitrine bougea. Parvenant à remuer un bras, je touchai de la fourrure ! Koko était sur moi et il ronronnait bruyamment. Je me trouvais sur ma chaise longue. Comment étais-je revenu là ? Mon esprit battait la campagne. Les lumières vertes avaient disparu et la plage était sombre. J'entendais le bruit des vagues.

Cependant je me sentais assommé. J'avais rêvé, me dis-je... Vraiment ?... La fourrure de Koko était pleine de sable et, quand je me levai, je dus brosser mes vêtements pour en faire tomber le sable.

Il fallut vingt-quatre heures à Quilleran avant qu'il trouvât finalement l'objectivité nécessaire pour rapporter l'incident dans son journal, et il se sentait encore mal à l'aise face à cette expérience. Il était peut-être un peu fou, mais il n'arrivait pas à croire que ce n'était qu'un rêve.

Une pensée le hantait et provoquait un spasme d'inconfort à la racine de sa moustache. Était-ce la clef des perceptions sensorielles anormales de Koko ? Quelles étaient les origines de Koko ? Personne ne le savait. Un jour, il était simplement... apparu.

Jusque-là, Qwilleran avait attribué l'intelligence de Koko à ses soixante vibrisses. Peut-être le secret était-il quelque chose de plus impensable : l'intelligence d'un peuple venu d'ailleurs qui n'était pas fait de petits hommes verts, mais de petits chats verts !

Quant au porteur des soixante vibrisses, il n'avait pas du tout changé depuis l'incident. Il était toujours le magnifique compagnon, intelligent, imprévisible, quelque peu impérieux et souvent exaspérant... mais Qwilleran avait changé. Il était prêt à concéder que Koko ne voyait pas seulement les étoiles quand il regardait le ciel, il voyait aussi de petites masses vertes confuses.

Cet ouvrage a été réalisé par la
SOCIÉTÉ NOUVELLE FIRMIN-DIDOT
Mesnil-sur-l'Estrée
pour le compte des Éditions 10/18
en novembre 1999

Imprimé en France
Dépôt légal : décembre 1999
N° d'édition : 3088 – N° d'impression : 49048